COMO REINVENTAR O CASAMENTO QUANDO OS FILHOS NASCEM

GARY CHAPMAN

COMO REINVENTAR O CASAMENTO QUANDO OS FILHOS NASCEM

Traduzido por OMAR DE SOUZA

mundocristão
São Paulo

Os textos das referências bíblicas foram extraídos da Nova Versão Internacional (NVI) da Sociedade Bíblica Internacional, salvo indicação específica.

Dados Internacionais de Catalogação na Publicação (CIP)
(Câmara Brasileira do Livro, SP, Brasil)

Chapman, Gary

Como reinventar o casamento quando os filhos nascem / Gary Chapman; traduzido por Omar de Souza — São Paulo: Mundo Cristão, 2011.

Bibliografia.
ISBN 978-85-7325-651-2

1. Casamento - Aspectos religiosos - Cristianismo 2. Comunicação no casamento 3. Esposas - Vida religiosa 4. Família - Aspectos religiosos - Cristianismo 5. Pais - Vida religiosa I. Título.

10-13790 CDD—248.844

Índice para catálogo sistemático:

1. Casais : Comunicação : Aconselhamento conjugal : Vida cristã : Cristianismo 248.844

Categoria: Casamento

Publicado no Brasil com a devida autorização e com todos os direitos reservados pela:
Editora Mundo Cristão
Rua Antônio Carlos Tacconi, 69, São Paulo, SP, Brasil — CEP 04810-020
Telefone: (11) 2127-4147
www.mundocristao.com.br

1ª edição: março de 2011
Impressão em sistema digital sob demanda

Sumário

Introdução

Esta não é uma obra sobre criação de filhos, embora eu ofereça dicas valiosas para os pais. Também não é nenhum tratado sobre o casamento, apesar de eu fazer algumas observações sobre esse assunto. Na verdade, trata-se de um livro que aborda a seguinte questão: "Como devemos fazer para manter o vigor do nosso casamento, agora que temos filhos?".

Este livro surgiu de uma conversa que tive há algum tempo com um jovem pai frustrado. Ele me disse, com voz sofrida:

— Perdi minha esposa.

— O que você quer dizer com isso? — perguntei.

— Perdi minha esposa para nosso bebê.

— Fale-me a respeito disso.

— Somos casados há três anos. No início, o nosso relacionamento era muito bom mesmo. Ambos queríamos ter um filho e estávamos de acordo que já era hora. Mas, se eu soubesse que o bebê chegaria para acabar com o nosso casamento, nunca teria concordado.

— O que você está querendo dizer quando afirma que o bebê acabou com o seu casamento? — insisti.

— Não existe mais um casamento — respondeu ele. — A vida dela se concentra apenas no bebê. A minha vida também está focada somente no bebê. É como se nós dois tivéssemos deixado de existir. Parece que, quando nos tornamos pais, perdemos nossa identidade como marido e mulher.

— E quanto ao relacionamento sexual? O que aconteceu?

— Não existe. Talvez nos tenhamos relacionado sexualmente duas ou três vezes desde que o bebê nasceu.

— Qual é a idade do bebê agora?

— Ele fez dois anos na semana passada — disse ele.

— Você já conversou com sua esposa sobre o que está sentindo?

— Tentei conversar, mas é difícil falar com ela. Minha esposa diz que não entendo como é difícil conciliar a criação de um filho e o trabalho. Falei com ela que poderia parar de trabalhar, mas minha esposa acha que meu salário não é suficiente para sustentar nossa família. Eu até acredito que conseguiríamos... mas não há necessidade de brigar com ela por causa disso. Sei que pode parecer uma opinião egoísta, mas eu gostaria de ter minha esposa de volta. Poderíamos voltar a nos tratar como antes do nascimento do bebê.

Ao fim daquela conversa, saí com a certeza de que tinha de escrever este livro. Eu sabia que aquele não era um fenômeno isolado. Ouvi muitas histórias parecidas nos últimos trinta anos, período em que trabalhei no aconselhamento de casais que enfrentavam crises em seu relacionamento conjugal. Também sabia que a esposa daquele homem se sentia tão frustrada quanto ele; que também lutava para dar conta da pressão de ser mãe e esposa ao mesmo tempo. Acredito que milhares de pessoas se identificam com o sofrimento daquele jovem casal.

Em outro encontro recente, uma jovem senhora se aproximou de mim com a Bíblia Sagrada aberta. Ela tinha o semblante muito sério.

— Quando o senhor vai começar a falar sobre como os filhos influenciam o casamento? — perguntou-me.

A princípio, achei que aquela pergunta era simplesmente um argumento para puxar uma conversa em tom bem mais pessoal, por isso respondi com outra questão:

— Por que você pergunta isso?

— Estou confusa — respondeu ela, apontando para o texto de Salmos 127. — Aqui na Bíblia diz que "os filhos são herança do SENHOR", "como é feliz o homem que tem a sua aljava cheia deles". Isso pode ser motivo de felicidade para o homem, mas não para a mulher. Eu achava que, quando meu filho nascesse, isso me uniria mais ao meu marido e que ambos seríamos felizes. O que aconteceu conosco, porém, foi exatamente o oposto. Desde a chegada do bebê, nosso casamento está se deteriorando.

Garanti a ela que não estava sozinha em sua frustração; que muitos casais reconhecem que os primeiros dezoito meses posteriores ao nascimento de um filho constituem o período mais difícil do casamento. Mães com filhos pequenos costumam se sentir solitárias e sobrecarregadas. Elas não sentem mais o desejo e o apreço do marido. É muito comum acharem que perderam sua capacidade de atrair o companheiro.

— Meu marido não entende por que me sinto tão cansada. Ele reclama porque deixei de fazer tortas de cereja. Eu passo o dia inteiro lidando com fraldas sujas, limpando vômito de bebê, e ele ainda reclama porque não faço mais as tortas de cereja.

Muitos pais de crianças pequenas se consideram negligenciados pela esposa, como se ela deixasse de gostar do marido ou diminuísse seu interesse por ele. Esses homens acham que perderam o posto de "número 1" na vida da esposa; o bebê passou a ocupar essa posição. Assim, eles se sentem ressentidos — não necessariamente com o bebê, mas por causa da atenção que a esposa dedica ao filho que chegou. Por isso, pensam: "Ela nunca tem tempo para mim. O bebê está sempre em primeiro lugar. Mesmo quando eu a convido para sair, fica com medo de deixar o bebê com outra pessoa. Quando quero alugar um vídeo, ela diz que está muito cansada para assistir. Não sei mais o que fazer".

Por que esse tipo de crise no casamento é tão comum? Porque uma quantidade imensa de conflitos potenciais completamente novos surge entre os cônjuges quando uma criança nasce.

Um filho significa mais trabalho. E quem vai realizar esse trabalho, a mãe ou o pai?

Mais trabalho significa menos tempo. E quem vai sacrificar seu tempo, a mãe ou o pai?

Mais trabalho significa mais dispêndio de energia. E quem vai gastar suas energias com o bebê, a mãe ou o pai?

Um filho significa mais despesas. E de onde virá o dinheiro? Daquele que vocês haviam separado antes para gastar em lazer e jantares românticos?

Pesquisas mostram que a mulher sente mais o impacto da chegada de um filho nos primeiros seis meses de vida da criança. É nessa época que ela tenta se adequar às novas demandas de tempo e energia, ao passo que o pai reconhece mais intensamente o impacto do nascimento do filho sobre o casamento na faixa de seis a dezoito meses de idade da criança. Durante esse período, o marido percebe que a esposa fica mais crítica e menos paciente, além de evitá-lo sexualmente.[1]

Além disso, infelizmente, o impacto dos filhos sobre o casamento não chega ao fim quando a criança completa dezoito meses de idade. Jim e Evelyn estiveram em meu consultório em busca de ajuda para a filha deles, uma adolescente de catorze anos. Depois de falar rapidamente sobre os problemas que estavam enfrentando com ela na escola, admitiram que a principal razão para me procurar era o fato de o casamento dos dois estar passando por um momento de crise. "Parece que, quando se trata de Julie, discordamos em quase tudo. Nossas divergências sobre como criá-la nos levaram a brigar o tempo todo. Nenhum dos dois gosta disso, mas não sabemos o que fazer a respeito. Ao que parece, todo dia há um motivo novo para discutirmos por causa de alguma coisa relacionada a Julie".

De vez em quando, pergunto aos casais que atendo:

— Como era o casamento de vocês antes do nascimento dos filhos?

Costumo receber respostas como esta:

— Era bom. Enfrentávamos algumas dificuldades, mas acreditávamos que um filho nos uniria.

Não espere que um bebê determine o sucesso do casamento; a criança não pode ser responsabilizada por isso. Os filhos não são o fator decisivo para o sucesso nem para o fracasso de uma união conjugal. A única coisa que podem fazer é revelar problemas que já existiam antes de eles nascerem. Um estudo de dez anos conduzido por Carolyn e Philip Cowan mostrou que "a informação mais importante para prever o comportamento dos homens e das mulheres quando se tornarem pais é identificar sua maneira de agir antes de iniciar a jornada da criação dos filhos".[2]

O fato é que a criação de filhos é um empreendimento conjunto que exige comunicação, compreensão, amor e a disposição de assumir um compromisso. Casais que não desenvolvem essas atitudes e habilidades antes do nascimento dos filhos não podem acreditar que as assimilarão de uma hora para outra, assim que o primeiro bebê nascer.

Alguns casais vivem um bom relacionamento conjugal antes do nascimento dos filhos, mas, cinco anos depois, marido e mulher percebem que passaram tanto tempo sendo "bons pais" que acabaram permitindo que a própria relação deteriorasse. Esse tipo de situação não acontece da noite para o dia nem é resultado de um conflito aberto. Na verdade, trata-se de um processo gradual de deterioração da intimidade provocado pela falta de tempo de qualidade, de demonstrações de amor e de comunicação. Em casamentos assim, o tempo necessário para a restauração é, em geral, bem curto, visto que o marido e a mulher já mantinham um bom relacionamento que foi prejudicado. Quando um cônjuge demonstra preocupação pelo outro, é provável que ambos concordem em fazer uma correção de curso, e assim o casamento volta aos trilhos.

Em contrapartida, para os casais que já desenvolviam padrões perniciosos de relacionamento antes da chegada dos filhos, a estrada que conduz à restauração será muito mais longa. As mudanças necessárias — resolução dos conflitos, comunicação eficiente, tolerância quanto às diferenças, a busca por compromisso, e não por conquistas pessoais, e manifestações de amor por meio de linguagens que o cônjuge consegue compreender — exigem habilidades que levam tempo para ser desenvolvidas. No entanto, devo acrescentar que nunca é tarde demais para começar. Qualquer casal pode aprender a fazer isso, desde que marido e mulher se sintam motivados para tal.

É possível que você também esteja em busca de respostas para a seguinte pergunta: "Como manter o vigor de nosso casamento, agora que temos filhos?". Acredito na existência de respostas para essa questão, e minha intenção com este livro é apresentar essas respostas a você.

Fiz um livro pequeno de propósito, porque tenho a consciência de que muitos casais dispõem de pouco tempo para dedicar à leitura de um livro — ou, pelo menos, pensam dessa maneira. É possível que você leve menos de duas horas para ler todo o conteúdo desta obra. E, se o fizer, descobrirá como encontrar tempo para ler e para dedicar ao seu casamento. Além disso, você também terá a oportunidade de aprender a assumir o controle de suas finanças de tal maneira que consiga realizar feitos de valor em sua vida. O mais importante: você descobrirá como reacender a chama da intimidade conjugal e mantê-la ardente sem comprometer seu papel de pai ou mãe. Verá que não é a única pessoa a enfrentar esse tipo de desafio. Outros já passaram por essa trilha; eles aprenderam a nutrir um casamento saudável e, ao mesmo tempo, oferecer uma boa criação para os filhos. Você pode tirar proveito daquilo que essas pessoas descobriram. Ao fim de cada um dos cinco capítulos que compõem este livro, você encontrará sugestões práticas sobre como aplicar essas ideias na estrutura de seu casamento.

Posso garantir a você que *é possível* viver um casamento feliz e, ao mesmo tempo, alcançar o sucesso como pai ou mãe.

1

Faça do casamento uma prioridade

Chega um momento na maioria dos casamentos em que duas pessoas se tornam três. Às vezes, dois podem virar quatro, cinco, seis ou mais! Esse foi o propósito de Deus, iniciado no Jardim do Éden, quando ele disse a Adão e Eva: "Sejam férteis e multipliquem-se! Encham e subjuguem a terra!".[1] Tanto as Escrituras quanto as pesquisas sociológicas modernas indicam que o melhor ambiente para as crianças é aquele gerado por um pai e uma mãe que se amam e estão comprometidos um com o outro para toda a vida. As Escrituras indicam também que, no casamento, o marido e a esposa devem se tornar "uma só carne".[2] O termo "uma só carne" fala a respeito de intimidade profunda. Pesquisas recentes também reafirmam o seguinte conceito: a maioria das pessoas que se casam o faz porque deseja manter um relacionamento íntimo e exclusivo com o cônjuge. Se tanto a intimidade conjugal quanto a criação de filhos fazem parte do plano divino para o ser humano, então não resta dúvida de que há uma maneira de fazer as duas coisas, e com sucesso.

Admitamos com toda a honestidade: quando os filhos chegam, eles afetam em grande medida o relacionamento conjugal.

É uma pessoa nova na casa e vai ficar por ali durante muito tempo. E, com o passar dos anos, aquele primeiro filho pode ganhar a companhia de irmãos. Cada criança gera uma nova dinâmica dentro do lar. Alguém já comentou: "A decisão de ter um filho é muito importante. Significa liberar o coração para viver do lado de fora de seu corpo".[3] Muitos pais se identificam com essa declaração. É como se o filho fosse uma parte do pai e da mãe, e o coração dos pais está vinculado ao bem-estar de sua prole. No entanto, em seu amor pelo filho, os cônjuges nunca podem esquecer que a criança é fruto do amor de um pelo outro. Portanto, marido e mulher devem continuar a cultivar esse relacionamento de amor não apenas em nome do próprio bem-estar, mas também pelo bem do filho.

Quando um casal negligencia seu relacionamento de amor, de maneira deliberada ou não, ele o faz em detrimento dos filhos. Pesquisas indicam claramente que o efeito do divórcio dos pais sobre a vida de uma criança é devastador. Os divórcios, em geral, não acontecem no momento de pico da crise. Eles são precedidos por meses, às vezes anos, de negligência quanto ao relacionamento conjugal. Portanto, para o pai ou a mãe consciente, não há nada mais importante do que reacender ou manter vivo um relacionamento íntimo com o cônjuge. O antídoto para o divórcio é interromper o processo de distanciamento. Faça a opção deliberada pela aproximação, e não pela separação. No último capítulo deste livro, direi a você como fazer isso. Primeiro, porém, o casal precisa se comprometer com o processo, e isso é possível *fazendo do casamento uma prioridade*.

O que significa tornar o casamento uma prioridade? Em primeiro lugar, significa que devemos parar o tempo necessário para avaliar a qualidade de nosso casamento. Em seguida, devemos fazer uma opção consciente: pelo bem de nossos filhos, por nosso próprio bem e (se formos cristãos) para a glória de Deus, precisamos nos comprometer um com o outro e reconhecer que nosso casamento é importante para ambos. Finalmente, é necessário concordar que, com a ajuda de Deus, encontraremos uma maneira de fortalecer nossa intimidade. Tornar o casamento uma prioridade é uma opção consciente que torna as coisas muito melhores.

Há uma canção que diz: "O amor e o casamento seguem sempre juntos, como um cavalo e uma carruagem".[4] Eu gostaria de alterar uma parte dessa analogia e dizer que *o casamento e a criação dos filhos* seguem sempre juntos, como um cavalo e uma carruagem. O cavalo e a carruagem são coisas distintas; é possível separar um do outro. Quando o cavalo não está atrelado à carruagem, ele tem liberdade de vagar por aí, todo faceiro. Da mesma maneira, o casamento e a criação dos filhos são dois empreendimentos distintos, mas a melhor forma de criar os filhos é vincular esse esforço ao casamento.

Quando o cavalo está atrelado à carruagem, sua liberdade é limitada, mas sua energia pode ser usada para a realização de propósitos positivos. A carruagem não pode cumprir sua função primordial sem o cavalo. Antes dos filhos, o marido e a esposa têm liberdade para vagar à vontade. Com a chegada dos filhos, a liberdade dos pais fica limitada. No entanto, a opção deles de se manter atrelados aos filhos beneficia as duas partes — os pais e as crianças.

Contudo, a limitação da liberdade não quer dizer que ela deixou de existir. O cavalo é frequentemente desatrelado da carruagem para que possa voltar ao pasto — um cavalo que se mantém atrelado à carruagem noite e dia logo se tornará um animal frustrado. Isso também é nocivo para a carruagem e seus passageiros. Da mesma maneira, um casal que se liga de tal maneira aos filhos a ponto de não ter mais tempo para si mesmo logo encontrará a frustração. Isso não é bom para os filhos nem para os pais.

Assim como acontece com o cavalo separado de sua carruagem, os pais têm uma vida que independe dos filhos. Essa vida se chama "casamento", que em sua mais perfeita tradução proporciona ao marido e à esposa o tempo necessário para se divertirem e desfrutar um do outro. Assim, eles se renovam para cumprir a tarefa de criar os filhos.

Por favor, perceba que o título é: "Faça do casamento uma prioridade". Note que eu usei a expressão "*uma* prioridade". Geralmente encontro casais que discutem a respeito do que deve ser a prioridade número 1: os filhos ou o casamento? É a mesma coisa que discutir se o certo é priorizar a água ou o alimento para que o corpo permaneça funcionando. A verdade é que as duas coisas são prioritárias. O marido e a esposa que não procuram ser bons pais estão negligenciando suas responsabilidades. Em contrapartida, os casais que não priorizam o relacionamento conjugal cometem o mesmo erro.

Um casal que trata com negligência os filhos em nome da própria satisfação certamente se arrependerá disso no futuro. Da mesma maneira, o casal que se descuida do casamento por concentrar toda a sua energia nos filhos também tende a se arrepender dessa atitude.

Manter seu casamento vibrante e vigoroso é uma das melhores coisas que você pode fazer pela saúde de seus filhos, que provavelmente um dia também se casarão. Eles precisam com urgência de um modelo de casamento saudável. Se você negligenciar seu relacionamento conjugal, pode ser até que consiga prover às necessidades materiais de seus filhos, mas perceberá, no momento oportuno, que fracassou no dever de ensinar-lhes como se relacionar. O casamento é uma prioridade; criar os filhos é uma prioridade. A escolha não é por um ou outro. A negligência em relação a uma dessas coisas é prejudicial à outra.

Em meu livro *As quatro estações do casamento*,[5] usei essa analogia para descrever os vários estágios da relação conjugal:

- A *primavera* no casamento é uma época de novos começos, de novos padrões para a vida, de novas formas de ouvir e amar. Os sentimentos que experimentamos durante esse período incluem empolgação, amor, confiança, esperança e alegria.
- Casais que vivem no *verão* compartilham compromisso, satisfação e segurança em relação ao amor de um pelo outro. Eles estão ligados, apoiando-se o tempo todo.

- O *outono* provoca uma sensação de mudança indesejada, um vazio incômodo. Podemos nos sentir apreensivos, preocupados, tristes, desestimulados e inseguros.
- O *inverno* significa dificuldades. O casamento fica bem mais complicado nessa estação de silêncio frio e ventos amargos. Os casais que passam pela estação do inverno na relação conjugal agem com aspereza e raiva. Os sentimentos se limitam à decepção e ao distanciamento.

Você pode questionar: "Qual era a estação em que estávamos vivendo quando os filhos chegaram? Em que estação nosso casamento está agora?". Se vocês não estão felizes com a estação na qual estão vivendo neste momento, o livro *Como reinventar o casamento quando os filhos saem de casa* é, sem dúvida, uma leitura importante para a sua vida. Nos próximos quatro capítulos, falarei sobre maneiras práticas de restaurar e manter um casamento saudável e, ao mesmo tempo, ser bem-sucedido como pai ou mãe.

Colocando os princípios em prática

1. Usando o conceito das quatro estações, avalie a qualidade de seu casamento. Faça isso por escrito. Sublinhe as palavras que melhor descrevem os sentimentos que você atualmente nutre em relação à união conjugal. Em seguida, peça a seu cônjuge que leia este capítulo e faça a mesma avaliação.
2. Se você descobrir que seu casamento está passando pelo período de incertezas próprio do outono ou pela frieza

do inverno, então é necessário sair dessa estação. Você e seu cônjuge podem voltar à primavera ou ao verão do casamento se ambos confessarem seus erros e pedirem perdão um ao outro.

3. Vocês concordam em tornar o seu casamento uma prioridade? A sua motivação pode ser encontrada nos filhos, em vocês mesmos ou em Deus. No entanto, seja qual for essa motivação, quando o casamento ganha *status* de prioridade, é sinal de que vocês estão na direção certa.

2

Assuma o controle de sua agenda

POR EXPERIÊNCIA PRÓPRIA, POSSO DIZER que as questões que mais tendem a gerar conflitos entre marido e esposa, seja qual for o estágio do processo de criação de filhos pelo qual estejam passando, são as seguintes: a divisão da carga de trabalho na família; a quantidade de tempo que os dois passam juntos; a frustração no relacionamento sexual; a administração das finanças familiares; a necessidade de passar tempo a sós; as diferenças de opinião no que se refere à criação dos filhos; a ausência de comunicação entre os cônjuges; e a falta de disposição quando se trata de melhorar o casamento. É óbvio que lidar com todas essas questões exige tempo. O problema é: de onde tirar esse tempo? Já temos a sensação de que não há tempo suficiente para fazer as coisas necessárias. Acredito que a resposta para esse impasse — encontrar tempo para construir um casamento sólido e, paralelamente, criar os filhos corretamente — é esta: *assumir o controle de nossa agenda.*

Assumir o controle de nossa agenda significa analisar, de maneira consciente, quem está fazendo o que e quando, para, a partir daí, buscar uma solução melhor. A agenda conjugal envolve dois fatores: quem fará o quê? E quando essa pessoa fará o que precisa ser feito? Muitos casais jamais pararam para pensar com seriedade em sua agenda conjugal. Eles simplesmente se deixam levar e assumem um padrão de comportamento determinado, em grande medida, por aquilo que viram os pais fazer. Tal padrão pode ser eficiente ou não. Se o casamento é marcado pelo sofrimento, é provável que o padrão seja bastante ineficiente.

A PESSOA CERTA PARA O TRABALHO CERTO

Na vida familiar, determinadas tarefas precisam ser realizadas, e com regularidade — algumas, diariamente; outras, uma vez por semana. O primeiro passo no processo de assumir o controle de sua agenda é fazer uma lista dessas tarefas diárias e semanais. Uma vez preparada essa lista, marido e esposa poderão avaliar qual dos dois é mais bem capacitado para executar cada tarefa. (Quando os filhos são pequenos, há apenas duas pessoas para realizar essas tarefas: o marido e a esposa. Conforme os filhos crescem, eles também podem se juntar à equipe de trabalho e aprender na prática o que significa ser um membro da família.)

O segredo é colocar a pessoa certa para fazer a coisa certa; assim, tanto o marido quanto a esposa podem maximizar suas capacidades e, com isso, beneficiar a equipe inteira. Por exemplo, ele pode ser um bom cozinheiro, mas não ter muita habilidade com um cortador de grama, ao passo que ela pode considerar as atividades de jardinagem relaxantes ou mesmo divertidas. Se, nesse caso, ele passou os últimos três anos do casamento cortando a grama (porque o pai dele fazia isso) e ela, cozinhando (porque a mãe dela fazia isso), é provável que ambos considerem as respectivas tarefas penosas e escravizantes. Contudo, se os dois estiverem dispostos a trocar as responsabilidades, permitindo-se fazer aquilo de que mais gostam, ambos contribuirão para intensificar a energia emocional e a sensação de bem-estar.

Decidam o prazo para a realização das tarefas

Tendo concordado a respeito de quem deve fazer o que, levando em conta os interesses e as capacidades de cada um, o segundo passo é decidir quando cada um realizará essas tarefas. Mais uma vez, isso requer trabalho em equipe. Enquanto ela corta a grama, ele concorda em ficar em casa, tomando conta das crianças. Se os filhos são pequenos, talvez ele consiga conferir o saldo da conta-corrente e pagar as contas mensais ao mesmo tempo que fica de olho na garotada. Se os filhos são mais velhos, ele pode ajudá-los com a lição de casa ou brincar com eles. Se o compromisso profissional dele torna esse arranjo impossível, talvez os dois possam pagar uma babá para tomar conta das crianças enquanto ela corta a grama. Se o dinheiro estiver curto, ela pode articular um esquema especial com uma amiga, no qual uma concorda em tomar conta dos filhos de ambas por algumas horas enquanto a outra realiza determinada tarefa. Se o marido fica responsável por preparar o jantar três noites por semana, isso pode exigir que ela ajude as crianças com a lição de casa conforme ele trabalha na cozinha. Se ele chega tarde em casa por causa do trabalho, então é possível que o jantar tenha de sair mais tarde ainda nessas noites.

Eliminem as tarefas desnecessárias

Assumir o controle de nossa agenda também envolve a seguinte questão: "O que estamos fazendo ou tentando fazer que talvez não seja necessário?". Lembro-me de uma mulher que se sentia frustrada porque, antes da chegada do bebê, passava o aspirador de pó na casa dia sim, dia não (porque era assim que a mãe dela fazia). Depois do nascimento do filho, ela passou a achar essa atividade extremamente estressante.

Quando não se sentia capaz de realizar a tarefa, sentia-se como se estivesse fracassando no cumprimento de suas responsabilidades.

Quando analisamos a questão, descobrimos que a mãe dela passava o aspirador de pó dia sim, dia não porque morava perto de uma estrada de terra e mantinha as janelas da casa abertas durante o verão. A casa da filha estava localizada em uma rua asfaltada e tinha condicionador de ar. O que era muito importante na casa da mãe não fazia muito sentido na casa da filha. Quando ela e o marido discutiram o assunto, chegaram juntos à conclusão de que passar o aspirador de pó uma vez por semana era suficiente para satisfazer os dois. Eliminar tarefas desnecessárias disponibiliza tempo que pode ser dedicado à edificação do casal.

Lembro-me de um homem cuja esposa reclamava do fato de ele jogar golfe todo sábado. Ele defendia o seguinte ponto de vista: "É o único dia que tenho para descansar, e o golfe é relaxante para mim". Quando analisamos a situação, descobrimos que o pai dele jogava golfe todo sábado e ensinara o filho a fazer a mesma coisa. A queixa dela era a de que no sábado havia uma série de tarefas caseiras, já que ambos trabalhavam durante a semana. Por isso, aos sábados, ela trabalhava enquanto ele jogava golfe. Quando o marido voltava para casa, queria fazer sexo. Ela não gostava nem um pouco dessa situação.

Não foram necessárias muitas sessões de aconselhamento. Com o tempo, o marido descobriu que preferia o sexo ao golfe. Assim, começou a passar as manhãs de sábado realizando algumas das tarefas semanais ao lado da esposa. Depois do almoço, eles levavam os filhos às aulas de natação e, em seguida, aproveitavam o restante da tarde. Assumir o controle de nossa agenda pode nos levar a deixar de fazer determinadas coisas que tínhamos como hábito.

Crie uma agenda para seus filhos

O controle da agenda também envolve a criação de uma rotina para os filhos que possa ser conciliada de uma maneira positiva com a sua. Isso não quer dizer que você esteja sufocando a criatividade de seus filhos quando os ajuda a estabelecer uma agenda para a vida. Na verdade, eles se desenvolvem ainda mais quando descobrem os limites. Uma criança que cresce sem limites se tornará um adolescente sem disciplina e um adulto sem responsabilidade.

Determinar a hora certa de ir para a cama e para acordar pela manhã é um bom modo de começar a estabelecer limites para seus filhos. Fico sempre impressionado quando vejo crianças de quatro anos circulando às dez da noite pelo supermercado. Não é de admirar que os pais reclamem pela falta de tempo de um para o outro. Crianças dessa idade precisam dormir bem antes das dez da noite. Assim, o papai e a mamãe terão tempo para fazer algumas das coisas importantes que tratamos até agora. Eles precisam ler e falar a respeito de algum livro sobre casamento para que aprendam a se comunicar um com o outro de maneira positiva. Eles podem aprender a respeitar as ideias um do outro e encontrar soluções para suas diferenças de opinião. E terão tempo para desfrutar intimidade sexual.

Você é quem define o que fazer de acordo com sua realidade, mas eu sugiro que crianças até oito anos deitem às sete da noite. Depois dessa idade, você deve ter de estender esse horário, mas nunca mais do que quinze minutos por ano. Isso significa que, aos doze anos, seus filhos devem se deitar às oito da noite. Seja qual for a sua decisão, lembre-se de que a determinação de um horário para seus filhos dormirem é boa para eles e para o seu casamento.

Não é apenas o horário de dormir que precisa ser determinado. As crianças também precisam de uma agenda para o dia. Durante os anos pré-escolares, deve haver um horário para a arte; um horário para ouvir histórias infantis contadas a eles por um dos pais; um horário para ajudar os pais, arrumando a mesa para a refeição, varrendo o chão e dobrando as roupas; e um período diário no qual a criança fica sozinha no quarto, brincando com suas coisas e aprendendo a ser criativa.

Também é necessário determinar um horário para as sonecas. As crianças não devem ser forçadas a dormir, mas simplesmente deitar e descansar. Se elas dormirem, tudo bem; se não dormirem, não tem problema — mas todos devem ter um período de descanso diário. São esses momentos de descanso ou de brincadeira no quarto que proporcionam aos pais tempo para ler um livro, descansar ou fazer alguma coisa que eles consideram importante. À medida que os filhos crescem, há também a necessidade de determinar horários para fazer a lição de casa e outras tarefas caseiras. Estabelecer uma agenda para os filhos é bom não apenas para as crianças — também potencializa o bem-estar físico, emocional e espiritual dos pais.

Se os seus pais moram perto e gostam de participar da criação dos netos, é preciso determinar horários para isso também. Quando algum parente aparece sem aviso prévio, a presença dele pode ser inconveniente, pois interrompe o plano que você traçou para a tarde ou para a noite da criança. No entanto, quando se determina um período do dia para o filho passar com os avós, isso permite que você e seu cônjuge façam alguma coisa que potencialize seu casamento.

Arranje tempo para você

A determinação de uma agenda proporciona tempo para que você ou seu cônjuge possa ficar sozinho. Todos nós precisamos passar algum tempo longe das pressões da vida familiar. Passar um tempo sozinho não é uma questão de egoísmo. Ninguém pode ficar 24 horas por dia à disposição dos outros por muito tempo sem se esgotar física e emocionalmente. Isso não faz bem ao casamento. Você precisa passar tempo sozinho para respirar fundo, aproveitar a beleza da natureza e entrar em comunhão com Deus. Esse período deve ser despendido em alguma coisa que você considere revigorante ou relaxante. Pode ser uma partida de golfe, a leitura de um livro, um programa de televisão, uma caminhada ou um pouco de *malhação* na academia — qualquer coisa revigorante para sua mente e seu espírito. Organizar as agendas de tal maneira que cada um de vocês tenha tempo para ficar sozinho é um ingrediente essencial no fortalecimento de sua vida conjugal.

Em resumo, assumir o controle de sua agenda significa determinar que a pessoa certa realizará a tarefa certa na hora certa; eliminar todas as tarefas desnecessárias que você está realizando no momento; ajustar o horário de seus filhos de acordo com uma rotina que combina com a sua; e encontrar tempo para você.

Tudo isso ajudará você e seu cônjuge a aproveitar momentos de riqueza conjugal nos quais poderão aprender a lidar com suas diferenças de opinião e apoiar um ao outro, gerando uma intimidade cada vez maior.

■ Colocando os princípios em prática

1. Faça uma lista com todas as tarefas que precisam ser executadas regularmente (tanto as diárias quanto as semanais). Peça ao seu cônjuge que faça uma lista semelhante. Em seguida, combinem as duas listas. Agora, cada um deve pegar uma cópia da lista mais ampla de tarefas e colocar suas iniciais naquelas que acredita ser

mais bem capacitado a realizar ou das quais gosta mais. Se encontrarem alguma coisa que os dois acham que deveriam compartilhar, então coloquem as iniciais de ambos, mas sublinhem as da pessoa que deve assumir a responsabilidade básica pela tarefa. Depois disso, discutam as tarefas marcadas com as iniciais de cada um na lista. Identifiquem os pontos de concordância e de divergência. Onde houver discordância, tentem negociar. Vocês não são obrigados a cumprir essas incumbências para sempre, mas tentem usar esse tipo de planejamento durante as próximas semanas. Provavelmente verão que determinar a pessoa certa para realizar a tarefa certa modificará radicalmente sua perspectiva em relação às obrigações domésticas.

2. Determine o dia da semana e/ou o horário aproximado no qual cada tarefa deve ser realizada. Por exemplo, se o marido assumir a responsabilidade de jogar fora o lixo, ele o fará no fim do dia ou como a primeira tarefa da manhã? Chegar a um acordo pode eliminar um bocado de tensão entre vocês dois. Saber que ele vai preparar o jantar às terças e quintas-feiras pode ajudar os dois a planejar as respectivas agendas de maneira que um possa ajudar o outro.
3. Qual é o primeiro passo que você precisa dar no sentido de determinar uma agenda para a vida de seus filhos? Se eles já são crescidos, é possível que se oponham à ideia. No entanto, quando perceberem que você é gentil,

porém firme, eles se ajustarão à programação que você lhes impuser.

4. Que mudanças você gostaria de imprimir nos períodos que passa sozinho? Que etapas seriam necessárias para realizar tais mudanças?
5. Se você tivesse mais tempo para ficar com seu cônjuge, o que gostaria de fazer? Compare sua resposta com a de seu cônjuge e negocie uma maneira de colocar isso em prática.

■

3

Assuma o controle de seu dinheiro

Os dois estavam em meu consultório. Ela chorava de modo descontrolado. Por fora, ele parecia impassível, mas dava para ver que se sentia profundamente frustrado. Sete anos e dois filhos depois do dia do casamento, a união estava em pedaços.

Segundo o ponto de vista dela, antes do casamento ele era romântico, amoroso e carinhoso. Depois que eles se casaram, o marido teria se tornado frio, arredio e egoísta. Com lágrimas nos olhos, ela disse:

— Tudo o que eu sempre quis foi um marido que me amasse, que gostasse de ficar comigo, alguém com quem eu pudesse compartilhar minha vida. Será que estou pedindo demais? Pensei que tinha isso antes de nos casarmos. Não sei o que aconteceu, mas, depois do casamento, é como se ele tivesse se tornado um homem diferente. Dois anos depois, tivemos nosso primeiro filho. Achei que isso serviria para nos unir, mas estava errada. Aí veio o segundo filho. Ele começou a ajudar mais nas tarefas de casa, mas passou a não sobrar tempo nenhum para passarmos a dois. Eu me sentia como se fôssemos dois colegas de quarto cuidando de duas crianças. Adoro meus filhos, mas também desejo um homem que converse comigo. Quero que nossa vida seja mais do que apenas cuidar de nossos filhos.

Quando olhei para o marido, ele disse:

— Sinto muito por não ter sido capaz de suprir as necessidades dela. A parte financeira está em ordem, mas não sobra dinheiro. Tenho um bom emprego, mas não sou rico. Ela trabalha apenas meio expediente. Também gosta de presentes e de ir a lugares para fazer coisas. Tudo isso custa dinheiro, e um dinheiro do qual não dispomos. Tenho tentado economizar dinheiro para comprarmos uma casa. Sei que ela não gosta do lugar onde estamos morando, só que não há dinheiro suficiente para fazer tudo.

Mais tarde, quando analisamos a situação financeira do casal, descobrimos que os dois constituíam uma família igual à média da população e que, do mesmo modo, dispunham de uma renda dentro da média. O problema era que eles jamais haviam promovido a integração entre o casamento e as finanças. Ele estava economizando cada centavo para dar de entrada em uma casa. Além de seu emprego em tempo integral, ele trabalhava em outro emprego de meio expediente, e cada dólar extra que ganhava ia para o fundo de reserva que criara para comprar a casa. Ela também queria comprar a casa, mas preferia mais intimidade no casamento.

Quando ele estava em casa, encontrava tempo para ficar com as crianças e para assistir aos programas esportivos na televisão, mas sobrava pouco ou quase nada para ficar com a esposa. Por essa razão, ela quase chegou a se desesperar. Agora eles estavam morando na casa nova, só que estavam muito tristes. Ao refletir sobre a questão, ele também concordou que o casamento era mais importante do que a casa, mas essa conclusão não se refletia em suas atitudes.

Invista seu dinheiro em suas prioridades

Há um princípio bem simples que, quando colocado em prática, ajuda a preservar o casamento vivo, seja qual for a renda do casal. O princípio é o seguinte: invista seu dinheiro em suas prioridades. Se o relacionamento conjugal é uma prioridade — e se presentes especiais, uma noite de namoro por semana e passeios a dois de vez em quando podem ajudar a potencializar o casamento —, então invista seu dinheiro e transforme essas coisas em realidade. A casa pode até ser adquirida dois ou três anos além do previsto, mas, pelo menos, vocês terão um casamento sadio. A casa abrigará um lar, e não apenas um local de reuniões.

Sem dúvida, ter filhos é caro. Certo estudo indicou que, para criar um filho desde o nascimento até a faculdade, os pais precisam gastar aproximadamente 250 mil dólares.[1] Para um casal que esteja na média, essas cifras podem parecer absurdas. A boa notícia é que, especialmente nos Estados Unidos, as oportunidades para arcar com os custos de uma família são ilimitadas. Há muitas maneiras de reduzir gastos, de economizar e de investir; são alternativas que possibilitam a família de quase todos os níveis de renda sustentar a casa e criar os filhos com saúde. É muito comum, porém, ver casais que preferem imitar o estilo de vida dos vizinhos a usar a criatividade para bolar formas de tornar suas prioridades uma realidade.

Se nossas prioridades são um casamento sadio e a criação de um ambiente de aprendizado positivo para nossos filhos, então nossos recursos financeiros devem ser canalizados para a realização desses objetivos, em vez de seguir o estilo de vida materialista dos vizinhos. Se você sente que não possui recursos financeiros suficientes para fazer as coisas que podem enriquecer seu casamento, então está na hora de *assumir o controle de seu dinheiro*.

Há apenas dois métodos básicos para aumentar as reservas financeiras e investi-las em seu casamento. É fácil falar dos dois, mas ambos exigem muito esforço para serem colocados em prática. Um deles é a redução das despesas; o outro é o aumento da renda. Em minha opinião, o jeito mais fácil de começar é reduzindo os gastos. Nos próximos parágrafos, você encontrará sugestões práticas para fazer isso. Algumas delas exigirão uma mudança de atitude, mas essas mudanças potencializarão em grande medida seu relacionamento conjugal.

Gastar menos e aproveitar mais

Há inúmeras maneiras de reduzir as despesas e, com isso, aumentar as reservas financeiras de um casal, proporcionando um relacionamento conjugal mais rico. Bob e Jean moram na região sul do estado de Illinois. Em um de meus seminários sobre casamento, eles me disseram que haviam economizado milhares de dólares *comprando produtos reciclados*. Tudo começou como uma experiência. Eles fizeram um acordo no sentido de comprar, durante seis meses, tudo o que precisavam para sua casa, todas as roupas, todos os brinquedos para as crianças e todo o material escolar em um entre três lugares: bazares beneficentes locais, a loja do Exército de Salvação ou brechós. Passados seis meses, eles não queriam mais saber de outra coisa.

"Adoramos", disse Jean. "As coisas que compramos são de alta qualidade, e podemos adquiri-las muito mais em conta."

Um casal que vive na Flórida me revelou ter encontrado algo ainda melhor do que comprar em lojas de artigos usados ou em brechós.

— Nós chamamos essa modalidade de "aquisição sem custo" — disse-me o marido.

— Como é que funciona? — perguntei.

— De três maneiras — respondeu ele. — Primeiro, pegamos nosso carro e damos um passeio por bairros abastados na noite anterior à coleta de lixo. É impressionante ver as coisas que as pessoas deixam na rua para serem jogadas fora. Certa vez, encontramos uma cesta com tabela de basquete em condições perfeitas. Levamos para casa, e nossos filhos adoraram. A princípio, nós nos sentíamos mal, achando que poderíamos estar roubando. Por isso, passamos a tocar a campainha das casas e perguntar às pessoas se elas se importariam se levássemos as coisas que estavam largadas ao lado da lata de lixo. Até hoje, não recebemos nenhuma recusa.

Ele prosseguiu:

— A segunda maneira é avisar todos os nossos amigos de que aceitamos algumas coisas que eles não queiram mais, especialmente roupas de crianças e brinquedos. Como recebemos mais coisas do que precisamos, repassamos várias delas a outras pessoas. A terceira maneira é informando nossos pais sobre os brinquedos que nossos filhos desejam. Sabemos que eles darão brinquedos às crianças na época do aniversário, no Natal e em outras ocasiões. Assim, por que não pedir a eles que comprem aquilo que nossos filhos mais querem? Com essas três maneiras de colocar em prática a "aquisição sem custo", praticamente a única coisa que temos de comprar para as crianças é comida. E, agora que nossos filhos estão crescendo, vamos dar início a um jardim no próximo verão.

Outra forma de economizar dinheiro é aproveitando as ofertas sazonais. Minha esposa é uma especialista nessa modalidade, que é particularmente útil quando se trata de comprar roupas. Karolyn gosta de vestir roupas bonitas, e eu também gosto de vê-la usando belas roupas. No entanto, ela nunca paga o preço total de nenhum artigo; está sempre em busca de ofertas sazonais. Não estou referindo-me ao primeiro dia dessas ofertas, e sim à segunda, terceira ou quarta redução dos preços.

Um dia desses, ela chegou em casa com uma roupa que valia quase 400 dólares, mas pela qual pagou menos de 60 dólares. Eu amo essa mulher, assim como amo essa habilidade que ela possui. Certa vez, eu disse a ela: "Se você trabalhasse fora, sairia mais caro do que se continuasse em casa, economizando todo esse dinheiro". Eu estava brincando; na verdade, o dinheiro que ela economiza com compras sazonais garante uma boa renda indireta.

Quando se trata de alimentação e artigos para o lar, há ainda a possibilidade de comprar com descontos. Na maioria das cidades, existe alguma boa loja que vende mais barato que as demais. Por que não fazer suas compras gerais ali? As bananas que vendem naquela loja chegaram no mesmo navio que transportou as bananas vendidas na loja que tem preços mais altos. E, quando se usam os cupons de desconto oferecidos pela loja ou pelo fabricante dos produtos, dá para economizar ainda mais. Comprar na loja que vende mais barato, usar cupons e formar um estoque de produtos que estão em oferta especial podem representar uma economia de centenas de reais (literalmente) em seu orçamento doméstico.

Com todo esse dinheiro a mais, você pode pagar por aquele passeio de fim de semana, dar início a uma poupança para financiar a educação de seus filhos, principalmente quando ingressarem na faculdade, e guardar recursos para a compra de uma casa nova. Essas economias podem ser canalizadas para transformar em realidade suas prioridades: um casamento mais rico e a criação de filhos saudáveis e responsáveis.

Como aumentar sua renda

O segundo método básico para dispor de mais dinheiro para investir na qualidade de seu casamento e em momentos de diversão para a família é aumentar sua renda. Uma maneira de fazer isso é economizando e investindo. De maneira geral, uma caderneta de poupança é aberta para atingir determinado objetivo, como financiar as férias da família, comprar um carro novo ou garantir a educação dos filhos. Em contrapartida, investir envolve a aplicação deliberada dos recursos para que eles rendam dividendos para você. Os rendimentos proporcionados pelos investimentos são, em geral, maiores no longo prazo do que aqueles que a caderneta de poupança oferece. Não se esqueça, porém, de que também pressupõem maiores riscos. Nunca direcione um dinheiro do qual realmente precisa para outra coisa a investimentos de risco; faça-o somente com um dinheiro que esteja sobrando e que não comprometa sua vida financeira no caso de perder parte dele. Muitos casais que não seguiram esse princípio tiveram de enfrentar uma forte crise financeira.

Uma segunda maneira de aumentar sua renda é um dos cônjuges realizar algum trabalho remunerado extra. Isso pode significar um trabalho de meio expediente em casa ou fora. Se vocês optarem por essa alternativa, é preciso seguir duas orientações: primeiro, certifique-se de que você está ciente das exigências desse novo trabalho antes de se aventurar nele; segundo, avalie com seu cônjuge as implicações desse trabalho adicional sobre o relacionamento. Lembre-se de que sua prioridade maior é melhorar o casamento, e não a renda familiar. Se a renda pode potencializar o casamento e o emprego não gerar problemas na intimidade do casal, então é possível que represente uma alternativa positiva.

Permita-me concluir este capítulo dizendo que as melhores coisas da vida são gratuitas — ou, pelo menos, não são caras. Dedicar tempo para assistir ao pôr do sol, colher uma flor e oferecer à esposa, desfrutar as cores das folhas que caem de uma árvore no outono, ir à igreja, caminhar juntos ou ficar na varanda lado a lado, ouvindo a serenata dos grilos, não custa nada! Dividir um sorvete ou sua *pizza* favorita, nadar na praia ou assistir juntos a um filme no cinema são atividades relativamente baratas.

O desafio deste capítulo é levar você a assumir o controle do dinheiro de maneira que possa dispor dos recursos financeiros necessários para tornar o casamento mais rico e garantir a provisão para as necessidades materiais de sua família.

■ Colocando os princípios em prática

1. Neste momento, a maneira de você lidar com as finanças trabalha *a favor* ou *contra* o seu casamento? Você estaria disposto a considerar a alternativa de reduzir suas despesas com o objetivo de aumentar os recursos financeiros e, assim, enriquecer o seu casamento? Se a resposta for positiva, quais das ideias a seguir parecem mais viáveis a você?

   Comprar artigos reciclados.

   Aquisição sem custo.

   Ofertas sazonais.

   Comprar com desconto.
2. Discuta isso com seu cônjuge, e elaborem juntos um planejamento para os gastos nos próximos seis meses.
3. Você está satisfeito com seu padrão de vida atual no que diz respeito aos investimentos e à poupança? Caso não esteja, gostaria de mudar alguma coisa? Discuta

essas mudanças com seu cônjuge e veja se vocês podem chegar a um acordo sobre um planejamento mais eficiente.

4. Há uma possibilidade real de que um dos dois possa realizar um trabalho extra com o propósito de aumentar a renda familiar? Até que ponto isso influenciaria seu relacionamento conjugal? Analise essa possibilidade com seu cônjuge.

4

Aprenda a disciplinar seus filhos

Uma das áreas de conflito mais comuns entre o marido e a esposa é a maneira de disciplinar os filhos. "Ele é bruto demais", diz a esposa. "Ela permite que eles façam o que querem o tempo todo", o marido reclama. A partir daí, a conversa fica cada vez mais áspera. Um acusa o outro de ser leniente demais ou excessivamente duro com os filhos. Quando um casal enfrenta esse tipo de discussão com muita frequência, é evidente que isso gera um efeito nocivo sobre o relacionamento conjugal. Cada um deles nutre uma preocupação genuína com o bem-estar dos filhos. No entanto, as brigas produzem feridas e ressentimentos.

Se você se identifica com essa situação, este capítulo pode ajudar o casal a chegar a um acordo sobre a melhor maneira de disciplinar os filhos, de uma forma eficaz. A palavra "disciplina" não é negativa nem é sinônimo de espancamento ou gritaria com os filhos. Ela significa, literalmente, "treinamento". A maioria dos pais reconhece que os filhos precisam de treinamento. Sem uma disciplina positiva, os filhos tendem a se autodestruir; eles não são capazes de treinar a si mesmos.

O problema é que a maioria dos pais recebeu pouca ou nenhuma orientação quanto ao treinamento eficaz dos filhos. Por essa razão, quando os filhos chegam, o único exemplo de que os pais dispõem é aquele legado pela criação que tiveram. Se acharem que tiveram bons pais, tentarão seguir esse modelo. Se considerarem sua criação ruim, procurarão fazer o contrário com os filhos.

De qualquer forma, as visões diferentes quanto à disciplina mais apropriada geralmente os levarão a enfrentar conflitos. Em nome de seu casamento, precisam chegar a um acordo com urgência. Pelo bem dos filhos, devem se assegurar de que estão fazendo a coisa *certa*. Os filhos são, em grande medida, influenciados pelos pais. Queremos nos certificar de que essa influência seja positiva.

Para que sejamos bons pais, precisamos compreender o que há de mais fundamental na criação dos filhos. Esses fundamentos da criação dos filhos não são difíceis de entender, embora exijam a disposição de mudar padrões negativos e estabelecer padrões positivos perenes.

Os filhos precisam se sentir amados

O primeiro fundamento na criação dos filhos é que eles precisam se sentir amados pela mãe e pelo pai. Os filhos que não se sentem amados e respeitados pelos pais crescerão enfrentando muitos conflitos emocionais, e o comportamento deles refletirá essas lutas. A maioria dos pais ama os filhos com sinceridade, mas há muitos filhos que não sentem isso. O problema é que, na hora de comunicar seu amor, os pais não estão usando uma linguagem que os filhos conseguem compreender.

Em minhas pesquisas, descobri que há cinco maneiras fundamentais de expressar amor. Eu as chamo de "as cinco linguagens do amor". Permita-me falar sobre elas rapidamente.

A primeira linguagem do amor é constituída de palavras de afirmação, ou seja, o uso de palavras que transmitem o amor do pai a um filho, demonstrando apreço quando ele faz alguma coisa digna de elogio ou incentivando-o quando ele enfrenta o medo. Aqui estão alguns exemplos de palavras de incentivo: "Eu amo *muiiiiito* você"; "Gosto dessa sua arte. A maneira em que você juntou as cores deixou a figura muito bonita"; "Obrigado por ajudar a mamãe a pôr a mesa"; "Fiquei feliz por você ter ido colocar o lixo no lugar certo"; "Acho que você pode entrar no time da escola, pois tem muita garra e talento, mas só vai saber disso quando tentar. Se quer mesmo fazer isso, dou a maior força. Se não quiser, pode tentar de novo no ano que vem".

A segunda linguagem do amor são os atos de serviço — fazer alguma coisa por seus filhos que você sabe que eles gostariam: remendar o vestido de uma boneca, consertar a bicicleta, encher a bola de futebol, fazer o bolo preferido deles ou ensiná-los a nadar. Tudo isso são atos de serviço. A ênfase está em fazer coisas por seus filhos que eles ainda não podem fazer por conta própria. Mais tarde, você pode ajudá-los ainda mais, ensinando-os a encher a bola ou a consertar a bicicleta.

A terceira linguagem são presentes. Dar e receber presentes é uma expressão universal de amor. Eu diria, sem hesitar, que o presente não precisa ser caro. Também não há necessidade de dar aos nossos filhos tudo o que eles querem. Fazer isso, na verdade, pode ser até prejudicial à criação deles. Contudo, se os presentes constituem uma forma de expressar nosso amor, então até mesmo os presentes mais simples, como uma pedra bonita que você pega no chão do parque ou uma flor do jardim, podem transmitir o amor que sente por seus filhos.

A quarta linguagem é o tempo de qualidade, que significa dedicar ao seu filho atenção total. Talvez você possa participar de um jogo com seu filho ou ler um livro para ele; ou, então, simplesmente conversar. A coisa mais importante é que ele possa dispor de sua atenção total. Você não está assistindo à televisão, conversando ao telefone nem perdendo tempo com outras coisas. Seu filho é alvo de sua atenção concentrada.

A quinta linguagem do amor é o toque físico, como abraços, beijos, tapinhas nas costas, "brincar de brigar". Todas essas são formas de demonstrar amor.

Todas as pessoas, incluindo seus filhos, possuem uma linguagem do amor que se destaca entre essas cinco. Se você deseja que seu filho se sinta amado, precisa ministrar-lhe fortes doses dessa principal linguagem do amor e, ao mesmo tempo, oferecer um pouco de cada uma das outras quatro, como se estivesse polvilhando açúcar sobre o bolo. Se você não falar a principal linguagem do amor de seu filho, ele pode não se sentir amado, ainda que você esteja falando uma das outras quatro. Essa percepção tão simples tem ajudado milhares de pais a entender como demonstrar seu amor aos filhos de um modo mais eficaz.[1]

Os filhos precisam saber que há regras

O segundo fundamento para a criação dos filhos é entender que há regras e elas devem ser seguidas. Existem algumas coisas que fazemos e outras que não podemos fazer. Todas as sociedades são erguidas sobre esse conceito do que pode e do que não pode ser feito. Sem tais regras, as sociedades não podem existir. Os filhos precisam aprender essa realidade. Isso exige que os pais definam juntos as regras que pretendem ensinar aos filhos. Regras saudáveis são sempre razoáveis. Elas cumprem determinada função. Portanto, os pais precisam perguntar a si mesmos se certa regra é boa para seu filho e se poderá exercer alguma influência positiva sobre a vida dele. Aqui estão algumas perguntas práticas que ajudarão você a avaliar a propriedade das regras:

- Essa regra evita que seu filho corra algum perigo ou se destrua?
- Ela ensina ao seu filho algum traço de caráter positivo, como o valor da honestidade, do trabalho, da gentileza, da generosidade, entre outras coisas?
- Essa regra protege a propriedade?
- Essa regra ensina ao seu filho como cuidar das coisas que possui?
- Ela oferece alguma lição sobre responsabilidade?
- Ela ensina boas maneiras?

As respostas a perguntas como essas ajudarão você a determinar regras saudáveis para sua família. São esses os fatores sobre os quais nos preocupamos enquanto pais. Queremos proteger nossos filhos do perigo e da destruição. Não queremos que os filhos mais novos sofram um acidente na rua. E não queremos que os filhos mais velhos se envolvam com drogas. Desejamos ensinar a eles traços de caráter positivos que estejam de acordo com os nossos valores. Nosso desejo é que eles respeitem a propriedade dos outros, por isso uma regra proibindo jogar bola no quintal pode evitar que quebrem a janela da casa do vizinho. Queremos que aprendam a cuidar das coisas que possuem; por essa razão, uma regra determinando que coloquem a bicicleta em um lugar seguro e protegido durante a noite tem um propósito bem definido. Também desejamos que nossos filhos digam "obrigado", "por favor" e "com licença" ao falar com os adultos.

Queremos que nossos filhos se tornem adultos responsáveis e sabemos que eles precisam aprender isso desde a infância. Por isso, determinar que o filho ou a filha seja responsável pela arrumação da própria cama e por passar o aspirador em seu quarto é uma regra que faz sentido. E quanto às boas maneiras? É interessante o fato de que executivos de grandes empresas modernas estejam contratando pessoas para ensinar regras de etiqueta porque os funcionários de hoje se caracterizam pela rudeza e pela falta de tato, e não pela polidez no trato social.

Acredito que essa característica pode ser creditada à falta do ensino de boas maneiras em casa. Se, na condição de pais, acreditamos que pedir as coisas "por favor" e agradecer por elas é melhor do que ouvir um "me dê isso aqui" ou um "até que enfim", então é preciso que estabeleçamos regras relacionadas a essas boas maneiras dentro do lar. A experiência de outros pais, dos professores, dos parentes, além de livros e artigos de revistas, podem ser fontes legítimas de informações na hora de determinar essas regras. Para estabelecer as melhores regras possíveis, os pais precisam de todo o conhecimento e de toda a sabedoria de que possam dispor.

Uma vez tendo concordado sobre essas regras, duas questões se tornam extremamente importantes. Primeiro, *as regras precisam ser bem explicadas aos filhos.* Os pais costumam presumir que os filhos sabem automaticamente o que podem e o que não podem fazer. Não é bem assim que acontece. Precisamos esclarecer bem nossas expectativas em relação aos nossos filhos. A família toda precisa estar ciente das regras. As regras nunca anunciadas e explicadas são injustas. Não se pode esperar que o filho viva segundo um padrão do qual ele jamais ouviu falar. Os pais têm a responsabilidade de se certificar de que os filhos entendem quais são as regras. À medida que as crianças crescem, também se torna necessário dizer a elas *por que* os pais estabeleceram aquelas regras. Se os filhos se sentem verdadeiramente amados pelos pais, eles as reconhecerão e valorizarão.

A segunda questão importante no que diz respeito às regras é que, uma vez determinadas, *é preciso também estabelecer as consequências quando elas são quebradas.* A obediência se aprende quando a pessoa sofre as consequências da desobediência. O ensino eficaz da obediência requer que a pessoa que quebra as regras se sinta mal por sua atitude. É particularmente útil quando as consequências da quebra das regras da família são discutidas por todos os membros no momento em que são estabelecidas. A maior vantagem disso é que o filho saberá de antemão quais serão as consequências da quebra de uma regra, livrando os pais do perigo de ter de fazer um juízo precipitado sobre a melhor forma de disciplina a ser aplicada. Determinar as consequências antes que o filho quebre a regra também é uma maneira de garantir que essas consequências sejam razoáveis.

Se existe uma regra segundo a qual não se pode jogar bola dentro de casa, que consequências sofre aquele que a quebra? Uma consequência lógica pode ser guardar a bola por dois dias no porta-malas do carro; além disso, o filho pode pagar com a própria mesada qualquer prejuízo que tenha causado por sua desobediência. Se a janela da casa ao lado foi quebrada por causa de um chute mal dado na bola enquanto seu filho jogava no quintal, o menino deve pedir desculpas pessoalmente ao vizinho. O conserto da vidraça também deve sair da mesada do garoto. É bem provável que tais consequências incentivem seu filho a jogar bola no parque, e não no quintal.

Se outra regra proíbe que seus filhos fumem, então você pode determinar que o transgressor seja obrigado a comer uma cenoura imediatamente — inteira. Além de garantir que o corpo absorva betacaroteno suficiente para sobrepujar a nicotina, são grandes as chances de que ele pense duas vezes antes de fumar outro cigarro. Se houver reincidência, obrigue-o a fazer uma doação a alguma associação de combate ao fumo, a catar uma centena de guimbas de cigarro na rua e a ler uma reportagem sobre os perigos da nicotina para os pulmões. Talvez isso seja suficiente para convencê-lo de que fumar não é coisa de criança.

Com base nessas ilustrações, é possível que você identifique o surgimento de um padrão segundo o qual as consequências estão vinculadas às regras tanto quanto possível.

As pessoas vivem me pedindo que fale sobre o castigo físico como consequência da desobediência. Em minha opinião, em geral é mais eficaz vincular as consequências ao comportamento. Por exemplo, na ilustração que mencionei sobre o filho que quebra a janela do vizinho porque está jogando bola no quintal, o fato de ele ter de pedir desculpas pessoalmente e de pagar pelo vidro quebrado é bem mais significativo do que aplicar-lhe algumas palmadas por ter desobedecido. Bater em um filho não serve como cura para todos os problemas de mau comportamento. Na verdade, pode ser um reflexo da falta de disposição dos pais em investir tempo na educação do filho no que se refere à obediência.

Combine a disciplina com o amor

Quando uma regra é quebrada e o pai ou a mãe precisa garantir que o filho sofra as consequências predeterminadas, é muito útil oferecer a ele uma dose de amor emocional antes e depois da disciplina. É ainda melhor quando você usa a principal linguagem de amor de seu filho.

Por exemplo, digamos que seu filho estivesse jogando bola dentro de casa, o que constitui uma clara violação das regras.

Digamos também que a principal linguagem do amor dele sejam palavras de afirmação. O pai ou a mãe deve dizer alguma coisa assim: "Acho que você sabe que eu o amo muito. Normalmente, você segue direitinho as regras da casa. Tenho orgulho de você e das muitas coisas que já realizou na escola e em nosso lar. Você me dá muitas alegrias. Só que, quando quebra as regras, sabe que precisa sofrer as consequências. Por isso, vou guardar a bola no porta-malas do carro e deixar lá pelos próximos dois dias. E vamos ver qual é o preço do vaso que você quebrou, pois terá de pagar pelo prejuízo. Só quero que você saiba que o amo, e que é por isso que assumo a responsabilidade por ajudá-lo a aprender como seguir as regras".

A maneira mais eficaz de ensinar um filho a obedecer é envolver a disciplina em amor. Mesmo enquanto estiver sofrendo as consequências por seus atos, ele terá certeza quanto ao amor dos pais. Quando um filho se sente amado, é bem provável que receba a disciplina como uma consequência justa de seu comportamento.

Compare o que acabou de ler com a resposta mais comum do pai ou da mãe que ouve o barulho do vaso caindo da mesa, espatifando-se no chão, vê o filho com a bola na mão e grita: "Eu já disse a você mil vezes para não jogar bola dentro de casa! Agora olhe para o que você acabou de fazer. Aquele vaso era uma lembrança de família, foi comprado por sua avó. Tinha mais de trinta anos. Não tinha preço, e você acabou de espatifá-lo. Quando é que você vai aprender? Parece que ainda tem dois anos de idade. Não sei o que faço com você agora. Saia da minha frente!".

Qual das duas abordagens tem mais possibilidade de ensinar o filho a ser obediente? Acho que a maioria dos pais concorda comigo que a ideia de esclarecer a regra, chegar a um acordo sobre as consequências do mau comportamento antes que ele aconteça e a aplicação amorosa, porém firme, da disciplina ao filho é muito mais produtiva tanto para o aprendizado da criança quanto para a saúde mental dos pais.

Os filhos precisam aprender a tomar decisões sábias

O terceiro fundamento da criação dos filhos é ensiná-los a tomar decisões sábias. Na vida adulta, o sucesso ou o fracasso depende, em grande parte, da capacidade de tomar as melhores decisões.

Como os filhos podem aprender a tomar decisões? O processo começa quando eles recebem a liberdade para decidir dentro de limites preestabelecidos. Você pode dizer a sua filha de quatro anos: "Você quer guardar seu velocípede antes ou depois do jantar?". A criança tem uma escolha. Seja qual for a decisão que ela tomar, estará de acordo com os limites estabelecidos por seus pais. Se, porém, ela optar por esperar até depois do jantar e esquecer completamente de guardar o velocípede, então precisa arcar com as consequências — por exemplo, ficar proibida de andar de velocípede por dois dias. E, se chover durante a noite, ela precisa secar o velocípede. Nesse processo, a criança provavelmente aprenderá que é melhor guardar o velocípede antes do jantar, enquanto ainda se lembra de fazê-lo, do que se esquecer depois e sofrer as consequências.

Ou, então, pense na questão do almoço. Se a reação de um filho ao almoço que você preparou é a de fazer cara de nojo e dizer: "Eu não gosto disso, não vou comer", então o pai sábio oferece ao filho a liberdade para tomar uma decisão: "Tudo bem, querido. Por que você não vai lá fora para brincar?". No entanto, se o filho volta mais tarde pedindo alguma coisa para comer porque está com fome, a resposta da mãe ou do pai deve ser: "Aposto que está mesmo, meu filho. Talvez seja porque você não almoçou. Brinque mais um pouco por aí. Daqui a pouco, eu preparo o jantar". A criança tomou uma decisão, e sofreu as consequências. É provável que pense duas vezes antes de se recusar a almoçar novamente.

Há também o ritual noturno, quando a criança deve ir para a cama. Digamos que a rotina do fim do dia de seu filho seja beber um copo de água ou de leite, ouvir uma história, fazer uma oração, uma sessão breve de beijos e abraços e, em seguida, dormir. A regra é que, se o filho sair da cama depois de se deitar, não pode mais pedir para beber água, para ouvir outra história, para orar de novo ou para ser colocado na cama pelos pais. A criança deve voltar para a cama sozinha e se deitar. Isso significa que ela tem a liberdade para tomar uma decisão entre não levantar e deixar de ser colocada na cama pelos pais. A maioria das crianças aprenderá com rapidez que a melhor alternativa é a primeira.

Às vezes, crianças pequenas fazem birra para obrigar os pais a mudar as regras. Se a pirraça de um filho é acompanhada da exigência de dormir no quarto dos pais ou beber mais um copo

de água, a melhor coisa a fazer é dizer: "Se você vai continuar gritando e fazendo pirraça, terá dois minutos para isso. Mas, se passar de dois minutos, significa que amanhã à noite irá para a cama quinze minutos mais cedo". Tendo aprendido que todo mau comportamento gera consequências, o filho logo entende que precisa mudar seu jeito de agir.

Se a pirraça acontece no meio do dia, o pai pode simplesmente lembrar ao filho: "Ninguém consegue nada fazendo birra. Na verdade, se você quiser continuar gritando e chorando, então ficará dentro de seu quarto, onde pode se esgoelar; só não vai continuar fazendo manha na minha frente". Desse modo, o filho tem a liberdade de fazer pirraça, mas só poderá fazê-lo sozinho, e não na presença dos pais. A birra diminui quando os filhos percebem que não se trata de um comportamento aceitável e que não é assim que conseguirão o que desejam.

À medida que os filhos crescem, eles devem ser incumbidos de cumprir certas tarefas domésticas que ajudam na rotina da família. Por exemplo, uma criança de quatro anos pode colocar as roupas sujas na cesta de roupas para lavar. Conforme o tempo passa, as responsabilidades domésticas se expandem em proporção às capacidades dos filhos. Se eles recebem certa tarefa e um tempo para realizá-la, têm a opção de fazer o que lhes foi determinado ou não. Se a incumbência não for realizada no tempo estabelecido, então outro membro da família tem uma chance de realizar a tarefa e receber um pagamento, que sai da mesada daquele filho que não fez o que deveria fazer. Assim, o filho tem o direito de escolher: ele pode ou não realizar a tarefa a tempo, mas também pode sofrer as consequências de tomar a decisão errada. Os filhos aprendem rápido quando são responsabilizados por seu comportamento.

E quando eles brigam no banco de trás do carro? Muitos pais ficam muito aborrecidos por ter de impedir que as crianças briguem. Minha sugestão é que você lhes ofereça a liberdade para brigar, mas não no banco de trás do carro. Assim que começarem a briga, lembre-os sobre a regra: nada de conflitos no carro. Os filhos também sabem das consequências, caso resolvam desobedecer: se continuarem brigando, você para o carro no acostamento, os dois saem do carro para continuar brigando e, quando terminarem, podem voltar para o banco de trás. Se a família estiver a caminho de alguma sorveteria ou lanchonete, dá para imaginar como os briguentos terão o maior interesse de acabar com aquilo o mais rápido possível. Os pais não se aborrecem, e os filhos aprendem uma lição valiosa: temos o direito de optar, mas, se nossas escolhas forem ruins, teremos de arcar com as consequências.

O mesmo princípio se aplica quando é necessário ensinar boas maneiras aos filhos. Por exemplo, se você estabeleceu uma regra segundo a qual seu filho deve agradecer toda vez que recebe um presente, e que a consequência da desobediência é deixar de brincar com o presente até dizer "obrigado", o filho aprenderá a agradecer sempre. Ou então, se você está na casa de uma das avós e ela oferece ao seu filho um presente, não indique o que ele deve fazer. Apenas espere para ver o que a criança fará. Se ela se esquecer de agradecer pelo presente recebido, ao chegar em casa você pode pegar o brinquedo e guardar no armário. Diga ao seu filho que ele só poderá brincar quando escrever um bilhete de agradecimento à avó. Os filhos logo aprendem que vale a pena ter boas maneiras.

Se o filho sai da mesa sem pedir licença, exija que ele volte e fique sentado até que os pais terminem de lavar a louça. Ao fazer isso, estamos ensinando às crianças que a vida é feita de escolhas. Quando tomamos boas decisões, todo mundo fica mais feliz. Quando nossas decisões são ruins, os resultados não são tão agradáveis.

É esse processo de fazer escolhas entre duas alternativas que ajuda os filhos a aprender o valor de tomar decisões sábias. Você estará prestando a eles um grande serviço, além de evitar uma boa dose de frustração. Forçar os filhos a dizer "obrigado" nada mais é do que impor submissão. Contudo, quando eles sofrem as consequências por deixar de agradecer, aprendem a fazê-lo.

Ao dar ao seu filho a oportunidade de tomar decisões dentro de certos limites, você está respeitando a dignidade dele; está reconhecendo que ele é uma pessoa, e não uma máquina. As pessoas têm o direito de optar, e essas escolhas sempre influenciam a vida delas e a dos outros. Trata-se de uma lição valiosa que todo filho deve aprender.

Um dos equívocos mais comuns que os pais cometem é o de ameaçar os filhos: "Se você voltar a fazer isso...". Às vezes, os pais cumprem essas ameaças quando o mau comportamento se repete. Outras vezes, não fazem isso. Em minha opinião, os pais nunca devem fazer ameaças; eles precisam tomar uma atitude amorosa. As ameaças confundem o filho, ao passo que uma ação coerente transmite uma sensação de segurança. Se um filho quebra determinada regra, os pais devem impor as consequências imediatamente, com calma e amor. Um benefício extra é que, quando o pai ou a mãe substitui as ameaças por uma atitude, é menos provável que se aborreça e, no auge da raiva, exagere.

Os pais não podem perder a paciência com os filhos. Bater num filho ou gritar com ele é sempre algo negativo. Impor com calma as consequências do comportamento negativo é a maneira mais eficaz de ensinar aos filhos como tomar decisões sábias.

O padrão de disciplina estabelecido neste capítulo tem ensinado milhares de pais a treinar com eficiência seus filhos. Quando o marido e a esposa sentem que estão trabalhando juntos no treinamento dos filhos, isso gera um ambiente mais positivo entre os dois. Vocês estão trabalhando juntos na criação desses filhos e estão sendo coerentes na aplicação das regras. Vocês se sentem bem consigo e em relação aos seus filhos. Essa atmosfera potencializa, e muito, o relacionamento conjugal. Se vocês dois conversarem e concordarem sobre a forma de disciplinar seus filhos conforme abordamos neste capítulo, acredito que isso levará o casal a um nível mais elevado de eficácia e proporcionará um clima muito mais positivo ao seu casamento.

Colocando os princípios em prática

1. Se você não conhece a principal linguagem do amor de cada um de seus filhos, permita-me incentivá-lo a responder às seguintes perguntas:

   a. *Qual das cinco linguagens do amor meu filho manifesta com mais frequência que as demais: palavras de afirmação, atos de serviço, presentes, tempo de qualidade ou toque físico?*

   b. *Qual dessas cinco meu filho pede com mais frequência?*

   c. *Qual das cinco meu filho costuma recusar?*

   As respostas a essas três perguntas poderão revelar a você qual é a principal linguagem do amor de seu filho. Se você e seu cônjuge chegarem à conclusão de que devem ministrar altas doses da principal linguagem do amor ao seu filho sem negligenciar as outras quatro, poderão ter a certeza de que ele se sentirá amado.

2. Certifique-se de que seu filho conhece as regras e as consequências com as quais terá de arcar, caso resolva quebrá-las.

   Faça uma lista das regras que você estabeleceu para seus filhos. Peça ao seu cônjuge que faça a mesma coisa. (Outra opção é a de elaborar essa lista juntos.)

   Qual seria a consequência mais lógica se o seu filho viesse a quebrar uma dessas regras? Discutam esse assunto e cheguem juntos a uma conclusão sobre qual deve ser essa consequência.

Informe seu filho sobre as regras e deixe claro o que acontecerá se a regra for quebrada.

De maneira coerente, siga em frente e aja quando seu filho quebrar uma regra. (Não importa qual dos dois ministrará a disciplina. O resultado será o mesmo, pois ambos concordaram a respeito da consequência.)

3. Pense nas vezes em que você tentou forçar seu filho a fazer alguma coisa, resultando em um conflito ainda maior. Agora pense em como teria sido se você tivesse oferecido a ele uma escolha que poderia ter reduzido o atrito e, talvez, ajudado a criança a aprender como tomar decisões sábias. Aqui estão alguns exemplos que podem servir como ponto de partida: comer ou não comer; guardar um brinquedo antes ou depois do jantar; completar uma tarefa dentro de determinado período de tempo ou não; ficar na cama ou se levantar. Talvez você tenha outros itens a acrescentar a esta lista. Quanto mais oportunidades você der ao seu filho de fazer escolhas, mais rapidamente ele aprenderá a diferença entre as decisões ruins e as sábias, e menor será o conflito que vocês terão de enfrentar.

5

Descubra o segredo da intimidade

No cerne de um casamento saudável, está um senso profundo de vínculo, de amor, de apreço e de respeito: a intimidade. Nós a tínhamos quando nos casamos — ou, pelo menos, achávamos que tínhamos. Na época do namoro, passávamos horas conversando. Respeitávamos as ideias um do outro. Havia uma sensação de abertura entre os dois. Sentíamos como se pertencêssemos um ao outro; como se um tivesse sido feito para o outro. Revelávamos nossos segredos mais profundos e, no fundo do coração, acreditávamos que nos amaríamos para sempre, independentemente do que viesse a acontecer.

Você se lembra das promessas que fez naquele tempo? "Nada do que me possa dizer me impedirá de amar você"; "Eu vou a qualquer lugar com você"; "Enquanto eu viver, quero o que for melhor para você". Foi essa crença — a de que vocês tinham um relacionamento íntimo diferente de qualquer outro que tivessem experimentado antes — que levou os dois a assumir um compromisso de casamento.

Infelizmente, esse sabor de intimidade não dura muito para um número considerável de casais. Às vezes, ele se evapora antes mesmo do nascimento dos filhos. Para outros casais, começa a desaparecer na época da chegada do primeiro filho. Certa vez, um homem disse:

— Não sei o que aconteceu. Eu achava que nos estávamos saindo muito bem no casamento até que o bebê nasceu. A partir daí, tudo começou a ir por água abaixo. Antes da criança chegar, ela era amorosa, envolvente e carinhosa. Depois de ter nosso filho, ela começou a se tornar exigente e crítica.

A resposta da esposa:

— Antes do nascimento do bebê, ele era atencioso. Eu era o centro da vida dele. Depois do bebê, foi como se eu não fizesse mais a menor diferença. Tentei perder peso rapidamente. Queria voltar logo a minha melhor forma, mas nada parecia adiantar. Eu era menos importante do que todas as outras coisas.

Ambos se sentiam distanciados, mal-amados e desprezados.

Muitos casais fazem coro aos sentimentos desse casal. Vivem atormentados por um medo que não ousam revelar: "Não deveríamos ter nos casado. Não amamos um ao outro de verdade". Eles anseiam por aquilo que pensavam que teriam quando se casaram — uma intimidade profunda, um relacionamento de apoio mútuo.

O que muitos casais não conseguem compreender é que o amor precisa ser cultivado. A intimidade não é uma coisa estática. Você não "conquista" para nunca mais perdê-la. Nosso comportamento em relação ao cônjuge determina se podemos ou não desfrutar dessa intimidade. É grande a possibilidade de você só estar lendo este livro porque não alcançou o nível de intimidade que desejava para o seu casamento. É provável que esteja entre os milhares que gostariam que sua vida conjugal fosse melhor. Quero garantir a você que seu sonho pode se tornar realidade.

A chegada dos filhos pode ter provocado uma redução de sua intimidade conjugal, mas a presença deles não precisa impedi-los de alcançar esse relacionamento mais íntimo no casamento. Até agora, falamos sobre assumir o controle de sua agenda para encontrar tempo um para o outro. Também falamos sobre assumir o controle de seu dinheiro para pagar aqueles tipos de coisas que ajudam a fortalecer a intimidade conjugal. Abordamos a questão da criação dos filhos, oferecendo ideias para reduzir o nível de estresse. O único ingrediente que ficou faltando é a descoberta do segredo da intimidade.

Como se pode construir ou reconstruir a intimidade em um relacionamento conjugal? O que você faz com o tempo que disponibilizou e o dinheiro que economizou? O tempo e o dinheiro, por si, não têm o poder de gerar intimidade; é a maneira de você os usar que pode fazê-lo. Neste capítulo, quero indicar a você três ingredientes essenciais na promoção da intimidade conjugal e, ao mesmo tempo, na criação correta dos filhos.

Remova os escombros

Talvez você já tenha visto alguma casa destruída pelo fogo, por uma enchente ou pelo vento. Onde havia uma construção, só se vê ruínas. O primeiro passo na reconstrução da casa é retirar os escombros. É bem provável que os fundamentos da casa ainda estejam lá, mas não é possível reconstruir sobre eles enquanto ainda houver ruínas.

Se, em seu casamento, os ventos secos sopraram forte, as enchentes levaram tudo e o grau de intimidade diminuiu com o passar dos anos, é possível que os fundamentos ainda estejam lá. Está na hora de remover os escombros.

E como é que se faz isso? Você começa reconhecendo que faz parte do problema. Em geral, podemos ver os erros do cônjuge com muito mais clareza do que as nossas falhas.

Se você pretende remover os escombros, precisa começar identificando e reconhecendo a sua participação na desconstrução de sua intimidade. São três os elementos que, em geral, acabam com o relacionamento íntimo: o primeiro é o uso de palavras rudes, críticas e de condenação; o segundo é a atitude que magoa; e o terceiro é a negligência. Esses três fatores destroem nosso senso de vínculo, de amor, de apreço e de respeito. Talvez você esteja disposto a passar alguns momentos na companhia de Deus e pedir a ele que mostre o papel que suas palavras rudes, suas atitudes agressivas e sua negligência desempenharam na destruição da intimidade em seu casamento. Se você estiver disposto a perguntar isso a Deus, ele estará pronto para responder.

Outra parte do processo de remoção dos escombros é a confissão de seus erros ao seu cônjuge e o consequente pedido de perdão. Pense se você estaria disposto a dizer a sua esposa ou ao seu marido algo assim: "Sei que minhas atitudes magoaram você profundamente. Minhas palavras têm sido rudes e injustas. Eu tenho negligenciado você. E, ao fazer isso, comprometi aquilo que mais desejo na vida: ter um relacionamento íntimo com você. Não posso desfazer o que fiz, mas, se você me perdoar, eu gostaria de mostrar que o meu amor ainda é o mesmo, assim como o meu respeito e meu apreço. Sei que ambos sofremos a pressão dos filhos, do emprego e de tantas outras responsabilidades que estão sobre nós. Mas acredito que, juntos, podemos fortalecer o nosso casamento, e é isso o que eu quero".

Quando você faz isso, está dando o primeiro passo na reconstrução da intimidade em seu casamento.

Permita-me alertá-lo de que seu cônjuge pode não reagir com reciprocidade de imediato. Pode ser que não esteja preparado para perdoá-lo ou para admitir seus erros no relacionamento. Não alimente demais suas expectativas. Em vez disso, dê tempo ao tempo para que seu cônjuge possa ver como você está sendo sincero, que não está simplesmente tentando varrer o passado para debaixo do tapete e que está mesmo em busca de um novo relacionamento.[1]

Reafirme o seu compromisso

Talvez você tenha esquecido as palavras: "Eu prometo amar, honrar e cuidar de você na saúde e na doença, na necessidade e na fartura, enquanto viver". É possível que, no dia de seu casamento, você estivesse tão deslumbrado com o sentimento de euforia pelo fato de estar "amando" que tenha deixado de refletir profundamente nessas palavras. São termos fortes, mas é preciso voltar a eles, se você deseja renovar a intimidade de seu relacionamento conjugal. O verdadeiro amor não é um sentimento, mas uma atitude — uma escolha que se faz, dia após dia, pela busca do bem-estar de seu cônjuge, a fim de encontrar maneiras de potencializar e enriquecer a vida dele. Trata-se da opção por investir tempo, energia e recursos financeiros na realização dessa meta. A conclusão é a seguinte: o amor é o compromisso de apoiar um ao outro, *não importa o que venha a acontecer.*

A Bíblia desafia o marido a amar sua esposa do mesmo modo que Cristo "amou a igreja e entregou-se por ela".[2] Permita-me lembrá-lo de que Cristo amou a igreja antes de ser amado por ela. Ele amou a igreja mesmo quando ela rejeitou o seu amor. E ele amou a igreja até o fim — até a morte.

A esposa é desafiada a tratar "o marido com todo o respeito"[3] e conceder-lhe o privilégio de amá-la. Algumas mulheres acham isso difícil porque foram criadas dentro de uma cultura que as ensinou a ser pragmáticas e cuidar de si mesmas. No entanto, é a disposição de admitir que os cônjuges precisam um do outro que conduz à intimidade conjugal. Não fomos criados para viver no isolamento. Fomos criados para viver profundamente ligados uns aos outros, cada um de nós buscando os interesses mútuos e trabalhando juntos, como uma equipe, para nos tornarmos as pessoas que Deus deseja que sejamos. O casamento tem tudo a ver com isso. E os melhores pais são aqueles que mantêm um casamento assim.

Se você está disposto a reafirmar seu compromisso, talvez tenha como entrar em contato com a pessoa que oficializou sua cerimônia de casamento e pedir a ela uma cópia dos votos que você fez ao seu cônjuge e vice-versa. Caso isso não seja possível, incluí no fim deste livro os votos de uma cerimônia de casamento tradicional. Talvez estejam bem próximos daquele que você fez. Por isso, você pode se sentir à vontade para repeti-los diante de seu cônjuge. Mais uma vez, convém alertá-lo de que a reação pode não ser de reciprocidade. A mágoa pode ser muito profunda, e talvez a esperança tenha desvanecido. Emocionalmente, é possível que seu cônjuge não seja capaz, neste momento, de reafirmar esses votos. Não crie esperanças demais nem force a barra. Dê tempo ao seu cônjuge. Enquanto isso, continue demonstrando que você está falando sério sobre as mudanças que estão ocorrendo em sua vida.

FAÇA QUE SEU CÔNJUGE SE SINTA AMADO

Descobrir o que faz seu cônjuge se sentir amado e querido — e fazer isso com regularidade — pode levar algum tempo, mas você consegue. Permita-me sugerir algumas possíveis abordagens.

Agora que você reconheceu seus erros do passado diante de seu cônjuge e reafirmou verbalmente seu compromisso, está pronto para dizer: "Como você sabe, estou tentando me tornar o marido (ou a esposa) que você merece. Dessa forma, o que eu poderia fazer para ajudar você esta noite?". Seja qual for a sugestão do cônjuge, você deve não apenas fazer da melhor maneira que puder, mas também colocar por escrito em um caderno. Por exemplo:

- Ela gosta quando dobro as toalhas.
- Ele gosta quando lhe faço massagem nas costas.

Você deve repetir a pergunta todas as noites: "Em que posso ajudar você hoje?". E, toda noite, você faz o que o cônjuge pede e escreve o que fez, caso ainda não esteja em sua lista. Na mais simples das hipóteses, você estará aprendendo como amar e demonstrar apreço pelo cônjuge.

À medida que o tempo passa, você deve fazer perguntas semelhantes relacionadas a outros âmbitos sociais. Por exemplo, enquanto estiver dirigindo a caminho da igreja, deve dizer: "Há muito tempo que frequentamos essa igreja, mas eu gostaria de saber o que poderia fazer de diferente ali que pudesse dar mais significado às coisas para você". Faça isso e, em seguida, anote no caderno:

- Ela gosta quando permito que converse com as amigas depois do culto, em vez de puxá-la pelo braço, dizendo que está na hora de voltar para casa.
- Ele gosta quando me sento ao lado dele na igreja, em vez de cantar no coral.

A disposição de doar, de se sacrificar — isso é amor de verdade, e é o fator que gera intimidade conjugal.

Assim que o clima entre vocês dois começar a melhorar, você deve fazer a seguinte pergunta: "O que eu poderia fazer para ser um marido (ou uma esposa) melhor para você?". Com essa pergunta, você está ampliando o escopo de sugestões. É possível falar a respeito de qualquer área da vida. Seja qual for o assunto levantado por seu cônjuge, você pode levar a sério e saber que ele está fornecendo uma informação valiosa sobre como expressar amor e apreço. Faça isso e registre. Assim, você estará na direção certa para o desenvolvimento de uma intimidade cada vez maior.

No entanto, nem todos os cônjuges reagirão de maneira positiva a essa abordagem. À pergunta: "O que posso fazer para ajudar você esta noite?", o cônjuge pode responder: "Se eu tenho de dizer a você o que fazer, é sinal de que isso não tem a menor importância para mim". Ou talvez a resposta seja: "Não quero a sua ajuda. Só quero que você saia da minha frente". Qualquer uma dessas respostas ou outras parecidas indicam que o cônjuge está profundamente magoado e emocionalmente exaurido por causa da falta de intimidade no relacionamento. Ele não está muito motivado a oferecer a você uma oportunidade de tentar porque não tem muita esperança de que seu gesto seja muito consistente.

O fato de o cônjuge ter perdido a esperança não significa que você deva também abandoná-la. Há outra abordagem para descobrir o que faz o cônjuge se sentir amado e querido. Ela se chama "avaliação das críticas".

Olhe para trás, para os anos de convivência, e pergunte-se: "Qual foi a reclamação recorrente de meu marido ao longo do tempo?"; "De que ela tem se queixado por todos esses anos?". É possível que, na época, essas críticas tenham provocado algum tipo de ressentimento e causado certa revolta. Na verdade, você estava recebendo uma informação muito valiosa. Seu cônjuge estava dizendo quais são as coisas que o fazem sentir-se amado e querido. Essa abordagem abre toda uma nova visão no que se refere à compreensão das características do cônjuge.

Lembro-me de um homem que conversou comigo depois de tentar essa abordagem:

> Tudo ficou muito mais claro para mim. Nos primeiros anos do casamento, ela resmungava muito, reclamando porque eu não levava o lixo para fora de casa toda noite, depois do jantar. Eu só queria esperar até que a sacola de lixo ficasse cheia. Por fim, ela começou a levar o lixo por conta própria. Agora entendo como desperdicei uma oportunidade de demonstrar meu amor por ela. Por isso, sem dizer uma palavra, passei a levar o lixo para fora toda noite, depois do jantar.
>
> Também me lembrei de que ela costumava reclamar porque eu não passava aspirador de pó no carro dela toda vez que fazia isso no meu. Eu não achava que o carro dela precisava ser aspirado com tanta frequência quanto o meu. Agora percebo que, para ela, aquele gesto seria uma manifestação de amor. Por isso, sem falar nada, comecei a lavar e aspirar o carro dela toda vez que lavava e aspirava o meu. Lembrei-me de algumas outras críticas e comecei a fazer as coisas que ela me pedia. Depois de aproximadamente três meses, ela me perguntou:
>
> — O que está acontecendo com você?
>
> Eu respondi apenas:
>
> — Lembra-se de quando eu disse a você que sentia muito pelos erros cometidos no passado? De quando eu disse a você

que estava disposto a me tornar o marido que você merece? Pois bem, estou trabalhando nesse sentido. Sei que você merece muito mais do que tenho oferecido ao longo dos anos, e pretendo fazer isso daqui para a frente.

Ela saiu sem me dar nenhuma resposta verbal. Contudo, cerca de um mês depois, ela sorriu e me disse:

— Mal posso acreditar nas coisas que você tem feito por mim. Estou voltando a gostar de viver ao seu lado. Você está se tornando o homem com o qual me casei. Só espero que não precise acordar e descobrir que não passa de um sonho.

A partir daquele dia, o clima em nosso casamento mudou de maneira radical. Daquele ponto em diante, ela passou a responder quando eu perguntava sobre o que poderia fazer para ajudá-la. Ela fez várias sugestões, e eu as acatei. Não demorou muito e começou a me perguntar o que poderia fazer para tornar minha vida melhor. Foi nesse dia que voltei a experimentar aqueles sentimentos românticos por ela de novo. Quando o clima entre nós melhorou, começamos a conversar outra vez. Olhávamos para trás e falávamos a respeito dos erros que ambos havíamos cometido. Aprendemos muito um sobre o outro.

Eu nunca poderia imaginar que levar o lixo para fora pudesse estimular nela o interesse em fazer sexo. Quem dera alguém tivesse dito isso vinte anos antes. Até mesmo nossos filhos notaram a diferença em nosso casamento. Nosso filho de doze anos nos disse há pouco tempo: "Não sei o que está acontecendo com vocês dois, mas quero que saibam que estou gostando disso. Eu estava cansado de tanta gritaria e escândalo. Fico feliz de ver que vocês finalmente estão se entendendo". Ele prosseguiu, dizendo como era difícil viver naquela casa enquanto brigávamos. Nenhum de nós dois percebia que nosso comportamento o influenciava de um modo tão negativo. Aproveitamos a oportunidade para nos desculparmos com ele e pedir seu perdão pelos erros que havíamos cometido. Estou feliz porque finalmente aprendemos a amar um ao outro.

Nos primeiros anos da relação conjugal, a maioria dos cônjuges demonstra amor um pelo outro. O problema é que, em geral, eles não o fazem de uma maneira que a outra pessoa pode compreender. Normalmente, fazemos o que nossos pais faziam um pelo outro, ou então o que gostaríamos que o cônjuge fizesse por nós. Um jovem casado me contou que, durante os primeiros seis meses de relação conjugal, ele levava uma dúzia de rosas para a esposa todo mês, na data em que se casaram. Ele fazia isso porque era algo que vira o pai fazer por sua mãe. A esposa desse rapaz levou seis meses para tomar coragem e dizer ao marido que não gostava tanto assim de rosas; na verdade, era até um pouco alérgica a elas. O rapaz ficou arrasado ao descobrir que algo tão importante para a mãe dele não era tão significativo para sua esposa. Uma jovem esposa serviu o café da manhã ao marido na cama todos os sábados durante o primeiro mês do casamento porque a mãe dela fazia a mesma coisa em casa. Mais tarde, descobriu que ele preferia tomar o café à mesa.

A sinceridade não basta. Precisamos fazer perguntas, se queremos descobrir o que é importante para a outra pessoa. O que faz uma pessoa se sentir amada não serve necessariamente para os outros. É por isso que pode acontecer de o marido e a esposa manifestarem amor genuíno um pelo outro e, mesmo assim, nenhum dos dois se sentir amado ou querido. Quando você expressa seu amor de uma maneira que significa muito para o cônjuge, está desenvolvendo a intimidade conjugal.

À medida que o clima emocional entre os dois se desenvolve, é possível que vocês, de tempos em tempos, queiram perguntar um ao outro: "O que podemos fazer para nosso casamento ficar ainda melhor?". Se você descobrir que uma viagem de fim de semana pode significar muito para seu marido, então ponha isso em sua agenda e arranje dinheiro para colocar em prática. Se descobrir que um encontro romântico por semana faz sua esposa se sentir mais ligada a você, então dê um jeito de contratar uma babá ou faça um arranjo com outro casal que tenha filhos com idade aproximada dos seus. Se chegar à conclusão de que sentar para conversar toda noite é o que faz seu cônjuge se sentir amado e querido, faça disso uma prática diária, tão importante quanto ir ao trabalho todos os dias.

São as coisas simples, às vezes muito pequenas, que determinam o sucesso ou o fracasso de um casamento. O cônjuge sábio descobrirá o que faz o outro se sentir mais ligado, amado, querido e respeitado. E fará o necessário para que isso aconteça. A intimidade conjugal cresce. Os filhos também são beneficiados, pois crescerão em um lar no qual a mamãe e o papai se amam e se ajudam. Que maior presente uma criança pode querer?

Colocando os princípios em prática

1. Remoção dos escombros: se ainda não fez isso, por que não separar alguns minutos para pensar até que ponto você também é responsável pela falta de intimidade em seu casamento? Peça a Deus que ajude você a se lembrar das palavras rudes, de crítica e de condenação que usou; de seus gestos duros que causaram mágoa; e das vezes em que foi negligente. Tendo confessado todas essas coisas a Deus, por que não reconhecê-las diante de seu cônjuge e pedir perdão?
2. Reafirmação de seu compromisso: você estaria disposto a entrar em contato com a pessoa que realizou a cerimônia de seu casamento e pedir a ela uma cópia dos votos que fez naquela data? Se isso não for possível, use a sugestão de votos no fim deste livro. Faça esses votos diante de Deus e, em seguida, diante de seu cônjuge.
3. Mostrar a seu cônjuge que ele é amado: usando um dos dois métodos apresentados neste livro, descubra as coisas que fazem seu cônjuge se sentir amado e querido. A primeira abordagem é perguntar: "O que eu poderia fazer para ajudar você esta noite?"; "O que eu poderia fazer para me tornar um marido (ou uma esposa) melhor?"; "O que eu poderia fazer na igreja ou no *shopping* que tornaria essa experiência mais importante para você?". A segunda abordagem é analisar as críticas do passado e descobrir o que é mais importante para seu cônjuge. As coisas das quais ele

reclamava podem revelar seus desejos mais profundos. Em um caderno, faça uma lista das coisas que você sabe que são importantes para seu cônjuge e procure demonstrar seu amor daquelas maneiras e com regularidade.

Conclusão

O QUE COMPARTILHEI COM VOCÊ NAS breves páginas deste livro tem ajudado centenas de casais a descobrir o sucesso na relação conjugal e, ao mesmo tempo, na criação dos filhos. Deus nunca desejou que os filhos destruíssem o casamento. Em contrapartida, também não são as crianças que determinam o sucesso do relacionamento do casal. Casamentos sólidos são o resultado da disposição de um homem e uma mulher que colocam suas mãos nas mãos do Deus que criou a união entre eles e determinou que os filhos crescessem melhor em um lar com um pai e uma mãe que se amam, se ajudam e se incentivam o tempo todo.

Muitos casais reclamam por não ter tempo ou dinheiro para enriquecer o seu relacionamento. Acredito que esse tipo de queixa não procede. Você tem o tempo e o dinheiro necessários para fazer tudo o que precisa pelo cônjuge e por seus filhos. Pode ser que ainda não tenha assumido o controle de sua agenda ou de seu dinheiro, mas tem a capacidade de fazê-lo. Neste livro, tentei oferecer sugestões práticas que ajudarão você a fazer as duas coisas. Se você colocar essas ideias em prática, será capaz de encontrar o tempo e os recursos financeiros necessários para tornar seu relacionamento conjugal mais rico, mantendo a intimidade viva à medida que cria os filhos. Essa é uma das melhores coisas que um pode fazer pelo outro e pelas crianças. Eu os desafio a colocar em prática o plano apresentado neste livro. Posso garantir que funciona.

Se você achou este livro útil, espero que o empreste ou sugira a um amigo.

Algumas reflexões que valem a pena

Se tanto a intimidade conjugal quanto a criação de filhos fazem parte do plano divino para o ser humano, então não resta dúvida de que há uma maneira de fazer as duas coisas, e com sucesso.

* * *

O que significa tornar o casamento uma prioridade? Em primeiro lugar, significa que devemos parar o tempo necessário para avaliar a qualidade de nosso casamento. Em seguida, devemos fazer uma opção consciente: pelo bem de nossos filhos, por nosso próprio bem e (se formos cristãos) para a glória de Deus, precisamos nos comprometer um com o outro e reconhecer que nosso casamento é importante para ambos. Finalmente, é necessário concordar que, com a ajuda de Deus, encontraremos uma maneira de fortalecer nossa intimidade.

* * *

Acredito que a resposta para esse impasse — encontrar tempo para construir um casamento sólido e, ao mesmo tempo, criar os filhos corretamente — é esta: *assumir o controle de nossa agenda.*

Assumir o controle de sua agenda significa determinar que a pessoa certa realizará a tarefa certa na hora certa; eliminar todas as tarefas desnecessárias que você está realizando no momento; regular o horário de seus filhos de acordo com uma rotina que combina com a sua; e encontrar tempo para você.

* * *

Há um princípio bem simples que, quando colocado em prática, ajuda a preservar o casamento vivo, seja qual for a renda do casal. O princípio é o seguinte: invista seu dinheiro em suas prioridades.

* * *

As melhores coisas da vida são gratuitas — ou, pelo menos, não são caras. Dedicar tempo para assistir ao pôr do sol, colher uma flor e oferecer à esposa, desfrutar as cores das folhas que caem de uma árvore no outono, ir à igreja, caminhar juntos ou ficar na varanda lado a lado, ouvindo a serenata dos grilos, não custa nada! Dividir um sorvete ou sua *pizza* favorita, nadar na praia ou assistir juntos a um filme no cinema são atividades relativamente baratas.

* * *

A palavra "disciplina" não é negativa nem é sinônimo de espancamento ou gritaria com os filhos. Ela significa, literalmente, "treinamento". A maioria dos pais reconhece que os filhos precisam de treinamento. Sem uma disciplina positiva, os filhos tendem a se autodestruir; eles não são capazes de treinar a si mesmos.

* * *

Na vida adulta, o sucesso ou o fracasso depende, em grande parte, da capacidade de tomar as melhores decisões. Como os filhos podem aprender a tomar decisões? O processo começa quando eles recebem a liberdade para decidir dentro de limites preestabelecidos.

* * *

Quando o marido e a esposa sentem que estão trabalhando juntos no treinamento dos filhos, isso gera um ambiente mais positivo entre os dois. Vocês estão trabalhando juntos na criação desses filhos e estão sendo coerentes na aplicação das regras. Vocês se sentem bem consigo e em relação aos seus filhos. Essa atmosfera potencializa, e muito, o relacionamento conjugal.

* * *

A Bíblia desafia o marido a amar sua esposa do mesmo modo que Cristo "amou a igreja e entregou-se por ela" (Efésios 5:25). Permita-me lembrá-lo de que Cristo amou a igreja antes de ser amado por ela. Ele amou a igreja mesmo quando ela rejeitou o seu amor. E ele amou a igreja até o fim — até a morte.

* * *

A esposa é desafiada a tratar "o marido com todo o respeito" (Efésios 5:33) e conceder-lhe o privilégio de amá-la. Algumas mulheres acham isso difícil porque foram criadas dentro de uma cultura que as ensinou a ser pragmáticas e cuidar de si mesmas. No entanto, é a disposição de admitir que os cônjuges precisam um do outro que conduz à intimidade conjugal.

* * *

Descobrir o que faz seu cônjuge se sentir amado e querido — e fazer isso com regularidade — pode levar algum tempo, mas você consegue.

* * *

Olhe para trás, para os anos de convivência, e pergunte-se: "Qual foi a reclamação recorrente de meu marido ao longo do tempo?"; "De que ela tem se queixado por todos esses anos?". É possível que, na época, essas críticas tenham provocado algum tipo de ressentimento e causado certa revolta. Na verdade, você estava recebendo uma informação muito valiosa. Seu cônjuge estava dizendo quais são as coisas que o fazem sentir-se amado e querido.

* * *

O que faz uma pessoa se sentir amada não serve necessariamente para os outros. É por isso que pode acontecer de o marido e a esposa manifestarem amor genuíno um pelo outro e, mesmo assim, nenhum dos dois se sentir amado ou querido. Quando você expressa seu amor de uma maneira que significa muito para o cônjuge, está desenvolvendo a intimidade conjugal.

Votos de casamento tradicionais

O marido diz:

*Eu, ..., tomo você, ...
.............., como minha esposa, para tê-la ao meu lado e para cuidar de você nos momentos bons e nos momentos maus, na prosperidade e na dificuldade, na saúde e na doença. Quero oferecer amor e carinho a você enquanto eu viver, de acordo com a santa vontade de Deus, e nisso empenho a minha palavra.*

A esposa diz:

*Eu, ..., tomo você, ...
..............., como meu marido, para tê-lo ao meu lado e para cuidar de você nos momentos bons e nos momentos maus, na prosperidade e na dificuldade, na saúde e na doença. Quero oferecer amor e carinho a você enquanto eu viver, de acordo com a santa vontade de Deus, e nisso empenho a minha palavra.*

Notas

Introdução

[1] Carolyn Pape Cowan e Philip A. Cowan, *When Partners Become Parents* [Quando parceiros viram pais], HarperCollins, 1992, p. 109.

[2] Idem, p. 89.

Capítulo 1 – Faça do casamento uma prioridade

[1] Gênesis 1:28.

[2] Gênesis 2:24.

[3] Alice Gray (comp.), *Stories for a Mom's Heart*, Sisters, Ore: Multnomah, 2002, p. 29.

[4] Jimmy Van Heusen e Sammy Cahn, "Love and Marriage" ["Amor e casamento"], © 1995 Barton Music Corp./Warner Chappell Music, Inc.

[5] Para mais informações sobre o conceito das quatro estações, leia *As quatro estações do casamento*, de Gary Chapman. São Paulo: Mundo Cristão, 2006.

Capítulo 3 – Assuma o controle de seu dinheiro

[1] Equipe do MSN Money, "Raising Your Quarter-Million-Dollar Baby" ["Como cuidar de seu bebê de 250 mil dólares"], em

<HTTP://moneycentral.msn.com/content/collegeandfamily/raisekids/p37245.asp>, acessado em 8 de dez. de 2009; no câmbio dessa época, o valor correspondia a quase R$ 450 mil. (N. do T.)

Capítulo 4 – Aprenda a disciplinar seus filhos

[1] Para mais informações sobre o conceito das cinco linguagens, leia *As cinco linguagens do amor das crianças*, de Gary Chapman e Ross Campbell. São Paulo: Mundo Cristão, 1999.

Capítulo 5 – Descubra o segredo da intimidade

[1] Para mais informações sobre como perdoar e pedir perdão, leia *As cinco linguagens do perdão*, de Gary Chapman e Jennifer Thomas. São Paulo: Mundo Cristão, 2007.

[2] Efésios 5:25.

[3] Efésios 5:33.

Conheça outras obras de

Gary Chapman

- A Bíblia devocional do casal — As linguagens do amor
- A essência das cinco linguagens do amor
- A família que você sempre quis
- Acontece a cada primavera
- Amor e lucro
- Amor é um verbo
- As cinco linguagens da valorização pessoal no ambiente de trabalho
- As cinco linguagens do amor – 3ª edição
- As cinco linguagens do amor das crianças
- As cinco linguagens do amor de Deus
- As cinco linguagens do amor dos adolescentes
- As cinco linguagens do amor para solteiros
- As cinco linguagens do perdão
- As quatro estações do casamento
- Brisa de verão
- Castelo de cartas
- Como lidar com a sogra
- Como mudar o que mais irrita no casamento
- Fazer amor
- Incertezas do outono
- Inesperada Graça
- Linguagens de amor
- O casamento que você sempre quis
- O que não me contaram sobre casamento
- Promessas de Deus para abençoar seu casamento
- Zero a zero

Compartilhe suas impressões de leitura escrevendo para:
opiniao-do-leitor@mundocristao.com.br
Acesse nosso *site*: www.mundocristao.com.br

Diagramação: Set-up Time
Revisão: Josemar de Souza Pinto
Fonte: Minion
Gráfica: Meta Brasil
Papel: Pólen Soft 80 g/m² (miolo)
Cartão 250 g/m² (capa)